世說新語

〔南朝·宋〕劉義慶 撰

廣陵書社

中國·揚州

圖書在版編目（CIP）數據

世說新語 / (南朝宋) 劉義慶撰. -- 揚州 : 廣陵書社, 2009.03 (2018.07 重印)
ISBN 978-7-80694-417-2

Ⅰ. ①世… Ⅱ. ①劉… Ⅲ. ①筆記小說－中國－南朝時代 Ⅳ. ①I242.1

中國版本圖書館CIP數據核字(2009)第020704號

ISBN 978-7-80694-417-2

世說新語

撰　　者　（南朝宋）劉義慶
責任編輯　王志娟
出 版 人　曾學文
出版發行　廣陵書社
社　　址　揚州市維揚路三四九號
郵　　編　二二五〇〇九
電　　話　（〇五一四）八五二二八〇八八　八五二二八〇八九
印　　刷　常州市金壇古籍印刷廠有限公司
版　　次　二〇〇九年三月第一版
印　　次　二〇一八年七月第三次印刷
標準書號　ISBN 978-7-80694-417-2
定　　價　壹佰貳拾圓整（全貳册）

http://www.yzglpub.com　E-mail:yzglss@163.com

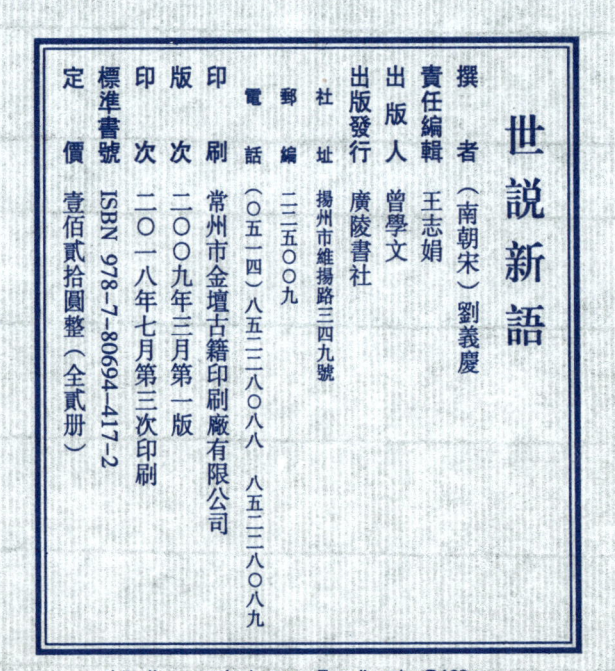

文華叢書序

時代變遷，經典之風采不衰；文化演進，傳統之魅力更著。古人有登高懷遠之慨，今人有探幽訪勝之思。在印刷裝幀技術日新月异的今天，國粹綫裝書的踪迹愈來愈難尋覓，給傾慕傳統的讀書人帶來了不少惆悵和遺憾。我們編印《文華叢書》，實是爲喜好傳統文化的士子提供精神的享受和慰藉。

叢書立意是將傳統文化之精華萃于一編。以内容言，所選均爲經典名著，自諸子百家、詩詞散文以至蒙學讀物、明清小品，咸予收羅，經數年之積纍，已蔚然可觀。以形式言，則采用激光照排，文字大方，版式疏朗，宣紙精印，綫裝裝幀，讀來令人賞心悦目。同時，爲方便更多的讀者購買，復盡量降低成本、降低定價，好讓綫裝珍品更多地進入尋常百姓人家。

可以想像，讀者于忙碌勞頓之餘，安坐窗前，手捧一册古樸精巧的綫裝書，細細把玩，静静研讀，如沐春風，如品醇釀……此情此景，令人神往。

讀者對于綫裝書的珍愛使我們感受到傳統文化的魅力。近年來，叢書中的許多品種均一再重印。爲方便讀者閱讀收藏，特進行改版，將開本略作調整，擴大成書尺寸，以使版面更加疏朗美觀。相信《文華叢書》會贏得越來越多讀者的喜愛。

有《文華叢書》相伴，可享受高品位的生活。

廣陵書社編輯部
二〇〇九年三月

出版説明

《世説新語》三卷，南朝劉義慶編撰，南北朝時期志人小説的代表作。全書分爲德行、言語等三十六門，記述了自東漢後期到晋宋間一些名士的言行與軼事，主要爲有關人物評論、清談玄言和機智應對的故事。

劉義慶（四〇三——四四四），字季伯，原籍彭城（今徐州），世居京口。南朝宋武帝劉裕之侄。曾任秘書監一職，掌管國家的圖書著作，有機會接觸與博覽皇家的典籍，擔任江州、兖州刺史期間與當時文人、僧人往來頻繁，爲《世説新語》的編撰奠定良好的基礎。

《世説新語》在語言上以簡潔傳神、清新雋永見長，雖然衹是一些生活片段，但寥寥數語，往往便能刻畫出人物的精神面貌。更重要的是，這部書在品評人物方面體現了士大夫的道德標準，反射了士族門閥制度對當時社會生活的影響，也展現了『魏晋清談』的風貌及自由活躍的社會思想，對于了解魏晋時代士族知識分子的思想和生活，有十分重要的價值。魯迅先生曾指出：『這種清談本從漢之清議而來。漢末政治黑暗，一般名士議論政事，其初在社會上很有勢力，後來遭執政者之嫉視，漸漸被害，如孔融、禰衡等都被曹操設法害死。所以到了晋代底名士，就不敢再議論政事，而一變爲專談玄理；清議而不談政事，這就成了所謂清談了。但這種清談的名士，當時在社會上仍舊很有勢力，若不能玄談的，好似不够名士底資格；而《世説》這部書，差不多就可看做一部名士底教科書。』

本社現以光緒十七年思賢講舍刻本爲底本，以綫裝形式整理出版此書，不足之處，祈請讀者指正。

廣陵書社

二〇〇九年二月

目錄

上卷

德行第一

①陳仲舉言爲士則，行爲世範，登車攬轡，有澄清天下之志。爲豫章太守，至，便問徐孺子所在，欲先看之。主簿白：『群情欲府君先入廨。』陳曰：『武王式商容之閭，席不暇暖。吾之禮賢，有何不可！』

②周子居常云：『吾時月不見黄叔度，則鄙吝之心已復生矣。』

③郭林宗至汝南造袁奉高，車不停軌，鸞不輟軛。詣黄叔度，乃彌日信宿。人問其故，林宗曰：『叔度汪汪如萬頃之陂。澄之不清，擾之不濁，其器深廣，難測量也。』

④李元禮風格秀整，高自標持，欲以天下名教是非爲己任。後進之士，有升其堂者，皆以爲登龍門。

⑤李元禮嘗嘆荀淑、鍾皓曰：『荀君清識難尚，鍾君至德可師。』

⑥陳太丘詣荀朗陵，貧儉無僕役，乃使元方將車，季方持杖後從。長文尚小，載箸車中。既至，荀使叔慈應門，慈明行酒，餘六龍下食。文若亦小，坐箸膝前。于時太史奏：『真人東行。』

⑦客有問陳季方：『足下家君太丘，有何功德，而荷天下重名？』季方曰：『吾家君譬如桂樹生泰山之阿，上有萬仞之高，下有不測之深；上爲甘露所沾，下爲淵泉所潤。當斯之時，桂樹焉知泰山之高、淵泉之深，不知有功德與無也。』

⑧陳元方子長文有英才，與季方子孝先，各論其父功德，争之不能决。咨于太丘。太丘曰：『元方難爲兄，季方難爲弟。』

⑨荀巨伯遠看友人疾，值胡賊攻郡，友人語巨伯曰：『吾今死矣，子可去！』巨伯曰：『遠來相視，子令吾去；敗義以求生，豈荀巨伯所行邪？』賊

既至，謂巨伯曰：『大軍至，一郡盡空，汝何男子，而敢獨止？』巨伯曰：『友人有疾，不忍委之，寧以我身代友人命。』賊相謂曰：『我輩無義之人，而入有義之國！』遂班軍而還，一郡并獲全。

⑩華歆遇子弟甚整，雖閑室之内，嚴若朝典。陳元方兄弟恣柔愛之道，而二門之裏，兩不失雍熙之軌焉。

⑪管寧、華歆共園中鋤菜，見地有片金，管揮鋤與瓦石不异，華捉而擲去之。又嘗同席讀書，有乘軒冕過門者，寧讀如故，歆廢書出看，寧割席分坐曰：『子非吾友也。』

⑫王朗每以識度推華歆。歆蜡日，嘗集子侄燕飲，王亦學之。有人向張華説此事，張曰：『王之學華，皆是形骸之外，去之所以更遠。』

⑬華歆、王朗俱乘船避難，有一人欲依附，歆輒難之。朗曰：『幸尚寬，何爲不可？』後賊追至，王欲舍所携人。歆曰：『本所以疑，正爲此耳。既已納其自托，寧可以急相弃邪？』遂携拯如初。世以此定華、王之優劣。

⑭王祥事後母朱夫人甚謹。家有一李樹，結子殊好，母恒使守之。時風雨忽至，祥抱樹而泣。祥嘗在别床眠，母自往暗斫之。值祥私起，空斫得被。既還，知母憾之不已，因跪前請死。母于是感悟，愛之如己子。

⑮晋文王稱阮嗣宗至慎，每與之言，言皆玄遠，未嘗臧否人物。

⑯王戎云：『與嵇康居二十年，未嘗見其喜愠之色。』

⑰王戎、和嶠同時遭大喪，俱以孝稱。王雞骨支床，和哭泣備禮。武帝謂劉仲雄曰：『卿數省王、和不？聞和哀苦過禮，使人憂之。』仲雄曰：『和嶠雖備禮，神氣不損；王戎雖不備禮，而哀毁骨立。臣以和嶠生孝，王戎死孝。陛下不應憂嶠，而應憂戎。』

⑱梁王、趙王，國之近屬，貴重當時。裴令公歲請二國租錢數百萬，以恤中表之貧者。或譏之曰：『何以乞物行惠？』裴曰：『損有餘，補不足，天之道

也。」

⑲王戎云：「太保居在正始中，不在能言之流。及與之言，理中清遠，將無以德掩其言！」

⑳王安豐遭艱，至性過人。裴令往吊之，曰：「若使一慟果能傷人，濬沖必不免滅性之譏。」

㉑王戎父渾，有令名，官至涼州刺史。渾薨，所歷九郡義故，懷其德惠，相率致賻數百萬，戎悉不受。

㉒劉道真嘗爲徒，扶風王駿以五百疋布贖之，既而用爲從事中郎。當時以爲美事。

㉓王平子、胡毋彦國諸人，皆以任放爲達，或有裸體者。樂廣笑曰：「名教中自有樂地，何爲乃爾也！」

㉔郗公值永嘉喪亂，在鄉里，甚窮餒。鄉人以公名德，傳共飴之。公常攜兄

子邁及外生周翼二小兒往食。鄉人曰：「各自饑困，以君之賢，欲共濟君耳，恐不能兼有所存。」公于是獨往食，輒含飯著兩頰邊，還吐與二兒。後并得存，同過江。郗公亡，翼爲剡縣，解職歸，席苫于公靈床頭，心喪終三年。

㉕顧榮在洛陽，嘗應人請，覺行炙人有欲炙之色，因輟己施焉。同坐嗤之。榮曰：「豈有終日執之，而不知其味者乎？」後遭亂渡江，每經危急，常有一人左右己，問其所以，乃受炙人也。

㉖祖光禄少孤貧，性至孝，常自爲母炊爨作食。王平北聞其佳名，以兩婢餉之，因取爲中郎。有人戲之者曰：「奴價倍婢。」祖云：「百里奚亦何必輕于五羖之皮邪？」

㉗周鎮罷臨川郡還都，未及上住，泊青溪渚。王丞相往看之。時夏月，暴雨卒至，舫至狹小，而又大漏，殆無復坐處。王曰：「胡威之清，何以過此！」即啓用爲吴興郡。

㉘鄧攸始避難，于道中弃己子，全弟子。既過江，取一妾，甚寵愛。歷年後，訊其所由，妾具説是北人遭亂，憶父母姓名，乃攸之甥也。攸素有德業，言行無玷，聞之哀恨終身，遂不復畜妾。

㉙王長豫爲人謹順，事親盡色養之孝。丞相見長豫輒喜，見敬豫輒嗔。長豫與丞相語，恒以慎密爲端。丞相還臺，及行，未嘗不送至車後。恒與曹夫人并當箱篋。長豫亡後，丞相還臺，登車後，哭至臺門。曹夫人作簏，封而不忍開。

㉚桓常侍聞人道深公者，輒曰：『此公既有宿名，加先達知稱，又與先人至交，不宜説之。』

㉛庾公乘馬有的盧，或語令賣去。庾云：『賣之必有買者，即當害其主。寧可不安己而移于他人哉？昔孫叔敖殺兩頭蛇以爲後人，古之美談。效之，不亦達乎！』

㉜阮光禄在剡，曾有好車，借者無不皆給。有人葬母，意欲借而不敢言。阮後聞之，嘆曰：『吾有車而使人不敢借，何以車爲？』遂焚之。

㉝謝奕作剡令，有一老翁犯法，謝以醇酒罰之，乃至過醉，而猶未已。太傅時年七、八歲，箸青布絝，在兄膝邊坐，諫曰：『阿兄！老翁可念，何可作此！』奕于是改容曰：『阿奴欲放去邪？』遂遣之。

㉞謝太傅絶重褚公，常稱『褚季野雖不言，而四時之氣亦備』。

㉟劉尹在郡，臨終綿惙，聞閣下祠神鼓舞。正色曰：『莫得淫祀！』外請殺車中牛祭神。真長答曰：『丘之禱久矣，勿復爲煩！』

㊱謝公夫人教兒，問太傅：『那得初不見君教兒？』答曰：『我常自教兒。』

㊲晋簡文爲撫軍時，所坐床上塵不聽拂，見鼠行迹，視以爲佳。有參軍見鼠白日行，以手板批殺之，撫軍意色不説。門下起彈。教曰：『鼠被害，尚不

能忘懷，今復以鼠損人，無乃不可乎？』

㊳范宣年八歲，後園挑菜，誤傷指，大啼。人問：『痛邪？』答曰：『非爲痛，身體髮膚，不敢毀傷，是以啼耳！』宣潔行廉約，韓豫章遺絹百匹，不受。減五十匹，復不受。如是減半，遂至一匹，既終不受。韓後與范同載，就車中裂二丈與范，云：『人寧可使婦無褌邪？』范笑而受之。

㊴王子敬病篤，道家上章應首過，問子敬：『由來有何异同得失？』子敬云：『不覺有餘事，惟憶與郗家離婚。』

㊵殷仲堪既爲荆州，值水儉，食常五碗盤，外無餘肴，飯粒脱落盤席間，輒拾以啖之。雖欲率物，亦緣其性真素。每語子弟云：『勿以我受任方州，云我豁平昔時意。今吾處之不易。貧者士之常，焉得登枝而捐其本？爾曹其存之。』

㊶初，桓南郡、揚廣共説殷荆州，宜奪殷覬南蠻以自樹。覬亦即曉其旨，嘗因行散，率爾去下舍，便不復還。內外無預知者，意色蕭然，遠同鬥生之無愠。時論以此多之。

㊷王僕射在江州，爲殷、桓所逐，奔竄豫章，存亡未測。王綏在都，既憂戚在貌，居處飲食，每事有降。時人謂爲『試守孝子』。

㊸桓南郡既破殷荆州，收殷將佐十許人，咨議羅企生亦在焉。桓素待企生厚，將有所戮，先遣人語云：『若謝我，當釋罪。』企生答曰：『爲殷荆州吏，今荆州奔亡，存亡未判，我何顔謝桓公？』既出市，桓又遣人問：『欲何言？』答曰：『昔晋文王殺嵇康，而嵇紹爲晋忠臣。從公乞一弟以養老母。』桓亦如言宥之。桓先曾以一羔裘與企生母胡，胡時在豫章，企生問至，即日焚裘。

㊹王恭從會稽還，王大看之。見其坐六尺簟，因語恭：『卿東來，故應有此物，可以一領及我。』恭無言。大去後，既舉所坐者送之。既無餘席，便坐薦

上。後大聞之，甚驚，曰：『吾本謂卿多，故求耳。』對曰：『丈人不悉恭，恭作人無長物。』

㊺吳郡陳遺，家至孝，母好食鐺底焦飯。遺作郡主簿，恒裝一囊，每煮食，輒貯録焦飯，歸以遺母。後值孫恩賊出吳郡，袁府君即日便征。遺已聚斂得數斗焦飯，未展歸家，遂帶以從軍。戰于滬瀆，敗。軍人潰散，逃走山澤，皆多饑死，遺獨以焦飯得活。時人以爲純孝之報也。

㊻孔僕射爲孝武侍中，豫蒙眷接烈宗山陵。孔時爲太常，形素羸瘦，著重服，竟日涕泗流漣，見者以爲真孝子。

㊼吳道助、附子兄弟，居在丹陽郡後。遭母童夫人艱，朝夕哭臨。及思至，賓客吊省，號踊哀絶，路人爲之落泪。韓康伯時爲丹陽尹，母殷在郡，每聞二吳之哭，輒爲凄惻。語康伯曰：『汝若爲選官，當好料理此人。』康伯亦甚相知。韓後果爲吏部尚書。大吳不免哀制，小吳遂大貴達。

言語第二

①邊文禮見袁奉高，失次序。奉高曰：『昔堯聘許由，面無怍色。先生何爲顛倒衣裳？』文禮答曰：『明府初臨，堯德未彰，是以賤民顛倒衣裳耳。』

②徐孺子年九歲，嘗月下戲。人語之曰：『若令月中無物，當極明邪？』徐曰：『不然。譬如人眼中有瞳子，無此必不明。』

③孔文舉年十歲，隨父到洛。時李元禮有盛名，爲司隸校尉。詣門者皆俊才清稱及中表親戚乃通。文舉至門，謂吏曰：『我是李府君親。』既通，前坐。元禮問曰：『君與僕有何親？』對曰：『昔先君仲尼與君先人伯陽，有師資之尊，是僕與君奕世爲通好也。』元禮及賓客莫不奇之。太中大夫陳韙後至，人以其語語之。韙曰：『小時了了，大未必佳。』文舉曰：『想君小時，必當了了。』韙大踧踖。

④孔文舉有二子，大者六歲，小者五歲。晝日父眠，小者床頭盜酒飲之。大

兒謂曰：『何以不拜？』答曰：『偷，那得行禮！』

⑤孔融被收，中外惶怖。時融兒大者九歲，小者八歲。二兒故琢釘戲，了無遽容。融謂使者曰：『冀罪止于身，二兒可得全不？』兒徐進曰：『大人豈見覆巢之下，復有完卵乎？』尋亦收至。

⑥潁川太守髡陳仲弓。客有問元方：『府君何如？』元方曰：『高明之君也。』『足下家君何如？』曰：『忠臣孝子也。』客曰：『《易》稱：「二人同心，其利斷金；同心之言，其臭如蘭。」何有高明之君，而刑忠臣孝子者乎？』元方曰：『足下言何其謬也！故不相答。』客曰：『足下但因傴爲恭不能答。』元方曰：『昔高宗放孝子孝己，尹吉甫放孝子伯奇，董仲舒放孝子符起。唯此三君，高明之君；唯此三子，忠臣孝子。』客慚而退。

⑦荀慈明與汝南袁閬相見，問潁川人士，慈明先及諸兄。閬笑曰：『士但可因親舊而已乎？』慈明曰：『足下相難，依據者何經？』閬曰：『方問國士，而及諸兄，是以尤之耳。』慈明曰：『昔者祁奚內舉不失其子，外舉不失其仇，以爲至公。公旦文王之詩，不論堯舜之德，而頌文武者，親親之義也。《春秋》之義，內其國而外諸夏。且不愛其親而愛他人者，不爲悖德乎？』

⑧禰衡被魏武謫爲鼓吏，正月半試鼓，衡揚枹爲漁陽摻檛，淵淵有金石聲，四坐爲之改容。孔融曰：『禰衡罪同胥靡，不能發明王之夢。』魏武慚而赦之。

⑨南郡龐士元聞司馬德操在潁川，故二千里候之。至，遇德操采桑，士元從車中謂曰：『吾聞丈夫處世，當帶金佩紫，焉有屈洪流之量，而執絲婦之事。』德操曰：『子且下車。子適知邪徑之速，不慮失道之迷。昔伯成耦耕，不慕諸侯之榮；原憲桑樞，不易有官之宅。何有坐則華屋，行則肥馬，侍女數十，然後爲奇？此乃許、父所以忼慨，夷、齊所以長嘆。雖有竊秦之爵，千駟之富，不足貴也！』士元曰：『僕生出邊垂，寡見大義。若不一叩洪鍾，伐

雷鼓，則不識其音響也！』

⑩劉公幹以失敬罹罪。文帝問曰：『卿何以不謹于文憲？』楨答曰：『臣誠庸短，亦由陛下網目不疏。』

⑪鍾毓、鍾會少有令譽，年十三，魏文帝聞之，語其父鍾繇曰：『可令二子來。』于是敕見。毓面有汗，帝曰：『卿面何以汗？』毓對曰：『戰戰惶惶，汗出如漿。』復問會：『卿何以不汗？』對曰：『戰戰慄慄，汗不敢出。』

⑫鍾毓兄弟小時，值父晝寢，因共偷服藥酒。其父時覺，且托寐以觀之。毓拜而後飲，會飲而不拜。既而問毓何以拜，毓曰：『酒以成禮，不敢不拜。』又問會何以不拜，會曰：『偷本非禮，所以不拜。』

⑬魏明帝爲外祖母築館于甄氏。既成，自行視，謂左右曰：『館當以何爲名？』侍中繆襲曰：『陛下聖思齊于哲王，罔極過于曾、閔。此館之興，情鍾舅氏，宜以「渭陽」爲名。』

⑭何平叔云：『服五石散，非唯治病，亦覺神明開朗。』

⑮嵇中散語趙景真：『卿瞳子白黑分明，有白起之風，恨量小狹。』趙云：『尺表能審璣衡之度，寸管能測往復之氣。何必在大，但問識如何耳！』

⑯司馬景王東征，取上黨李喜，以爲從事中郎。因問喜曰：『昔先公辟君不就，今孤召君，何以來？』喜對曰：『先公以禮見待，故得以禮進退；明公以法見繩，喜畏法而至耳。』

⑰鄧艾口吃，語稱『艾艾』。晉文王戲之曰：『卿云「艾艾」，定是幾艾？』對曰：『「鳳兮鳳兮」，故是一鳳。』

⑱嵇中散既被誅，向子期舉郡計入洛，文王引進，問曰：『聞君有箕山之志，何以在此？』對曰：『巢、許狷介之士，不足多慕。』王大咨嗟。

⑲晉武帝始登阼，探策得『一』。王者世數，繫此多少。帝既不説，群臣失色，莫能有言者。侍中裴楷進曰：『臣聞天得一以清，地得一以寧，侯王得一

以爲天下貞。』帝説，群臣嘆服。

⑳滿奮畏風。在晋武帝坐，北窗作琉璃屏，實密似疏，奮有難色。帝笑之。奮答曰：『臣猶吴牛，見月而喘。』

㉑諸葛靚在吴，于朝堂大會。孫皓問：『卿字仲思，爲何所思？』對曰：『在家思孝，事君思忠，朋友思信，如斯而已。』

㉒蔡洪赴洛，洛中人問曰：『幕府初開，群公辟命，求英奇于仄陋，采賢俊于岩穴。君吴、楚之士，亡國之餘，有何异才，而應斯舉？』蔡答曰：『夜光之珠，不必出于孟津之河；盈握之璧，不必采于昆侖之山。大禹生于東夷，文王生于西羌。聖賢所出，何必常處。昔武王伐紂，遷頑民于洛邑，得無諸君是其苗裔乎？』

㉓諸名士共至洛水戲。還，樂令問王夷甫曰：『今日戲樂乎？』王曰：『裴僕射善談名理，混混有雅致；張茂先論史漢，靡靡可聽；我與王安豐説延陵、子房，亦超超玄箸。』

㉔王武子、孫子荆各言其土地人物之美。王云：『其地坦而平，其水淡而清，其人廉且貞。』孫云：『其山嶵巍以嵯峨，其水泙渫而揚波，其人磊砢而英多。』

㉕樂令女適大將軍成都王穎，王兄長沙王執權于洛，遂構兵相圖。長沙王親近小人，遠外君子，凡在朝者，人懷危懼。樂令既允朝望，加有婚親，群小讒于長沙。長沙嘗問樂令，樂令神色自若，徐答曰：『豈以五男易一女？』由是釋然，無復疑慮。

㉖陸機詣王武子，武子前置數斛羊酪，指以示陸曰：『卿江東何以敵此？』陸云：『有千里蓴羹，但未下鹽豉耳。』

㉗中朝有小兒，父病，行乞藥。主人問病，曰：『患瘧也。』主人曰：『尊侯明德君子，何以病瘧？』答曰：『來病君子，所以爲瘧耳。』

㉘崔正熊詣都郡。都郡將姓陳，問正熊：『君去崔杼幾世？』答曰：『民去崔杼，如明府之去陳恒。』

㉙元帝始過江，謂顧驃騎曰：『寄人國土，心常懷慚。』榮跪對曰：『臣聞王者以天下爲家，是以耿、亳無定處，九鼎遷洛邑。願陛下勿以遷都爲念。』

㉚庾公造周伯仁。伯仁曰：『君何所欣説而忽肥？』庾曰：『君復何所憂慘而忽瘦？』伯仁曰：『吾無所憂，直是清虚日來，滓穢日去耳。』

㉛過江諸人，每至美日，輒相邀新亭，藉卉飲宴。周侯中坐而嘆曰：『風景不殊，正自有山河之异！』皆相視流泪。唯王丞相愀然變色曰：『當共戮力王室，克復神州，何至作楚囚相對！』

㉜衛洗馬初欲渡江，形神慘悴，語左右云：『見此芒芒，不覺百端交集。苟未免有情，亦復誰能遣此！』

㉝顧司空未知名，詣王丞相。丞相小極，對之疲睡。顧思所以叩會之，因謂同坐曰：『昔每聞元公道公協贊中宗，保全江表，體小不安，令人喘息。』丞相因覺，謂顧曰：『此子珪璋特達，機警有鋒。』

㉞會稽賀生，體識清遠，言行以禮。不徒東南之美，實爲海内之秀。

㉟劉琨雖隔閡寇戎，志存本朝。謂温嶠曰：『班彪識劉氏之復興，馬援知漢光之可輔。今晉阼雖衰，天命未改，吾欲立功于河北，使卿延譽于江南，子其行乎？』温曰：『嶠雖不敏，才非昔人，明公以桓、文之姿，建匡立之功，豈敢辭命！』

㊱温嶠初爲劉琨使來過江。于時，江左營建始爾，綱紀未舉。温新至，深有諸慮。既詣王丞相，陳主上幽越，社稷焚滅，山陵夷毁之酷，有《黍離》之痛。温忠慨深烈，言與泗俱，丞相亦與之對泣。叙情既畢，便深自陳結，丞相亦厚相酬納。既出，歡然言曰：『江左自有管夷吾，此復何憂？』

㊲王敦兄含，爲光禄勛。敦既逆謀，屯據南州，含委職奔姑孰。王丞相詣闕

謝。司徒、丞相、揚州官僚問訊，倉卒不知何辭。顧司空時爲揚州别駕，援翰曰：『王光禄遠避流言，明公蒙塵路次，群下不寧，不審尊體起居何如？』

㊳郗太尉拜司空，語同坐曰：『平生意不在多，值世故紛紜，遂至台鼎。朱博翰音，實愧于懷。』

㊴高坐道人不作漢語。或問此意，簡文曰：『以簡應對之煩。』

㊵周僕射雍容好儀形。詣王公，初下車，隱數人，王公含笑看之。既坐，傲然嘯咏。王公曰：『卿欲希嵇、阮邪？』答曰：『何敢近舍明公，遠希嵇、阮！』

㊶庾公嘗入佛圖，見卧佛，曰：『此子疲于津梁。』于時以爲名言。

㊷摯瞻曾作四郡太守、大將軍户曹參軍，復出作内史。年始二十九。嘗别王敦，敦謂瞻曰：『卿年未三十，已爲萬石，亦太蚤。』瞻曰：『方于將軍，少爲太蚤，比之甘羅，已爲太老。』

㊸梁國楊氏子九歲，甚聰惠。孔君平詣其父，父不在，乃呼兒出。爲設果。果有楊梅，孔指以示兒曰：『此是君家果。』兒應聲答曰：『未聞孔雀是夫子家禽。』

㊹孔廷尉以裘與從弟沈，沈辭不受。廷尉曰：『晏平仲之儉，祠其先人，豚肩不掩豆，猶狐裘數十年，卿復何辭此？』于是受而服之。

㊺佛圖澄與諸石游，林公曰：『澄以石虎爲海鷗鳥。』

㊻謝仁祖年八歲，謝豫章將送客。爾時語已神悟，自參上流。諸人咸共嘆之曰：『年少一坐之顔回。』仁祖曰：『坐無尼父，焉别顔回？』

㊼陶公疾篤，都無獻替之言，朝士以爲恨。仁祖聞之曰：『時無豎刁，故不貽陶公話言。』時賢以爲德音。

㊽竺法深在簡文坐，劉尹問：『道人何以游朱門？』答曰：『君自見其朱門，貧道如游蓬户。』或云卞令。

⑲孫盛爲庾公記室參軍，從獵，將其二兒俱行。庾公不知，忽于獵場見齊莊，時年七八歲。庾謂曰：『君亦復來邪？』應聲答曰：『所謂「無小無大，從公于邁」。』

㊿孫齊由、齊莊二人，小時詣庾公。公問齊由何字，答曰：『字齊由。』公曰：『欲何齊邪？』曰：『齊許由。』『齊莊何字？』答曰：『字齊莊。』公曰：『欲何齊？』曰：『齊莊周。』公曰：『何不慕仲尼而慕莊周？』對曰：『聖人生知，故難企慕。』庾公大喜小兒對。

㉛張玄之、顧敷，是顧和中外孫，皆少而聰惠，和并知之，而常謂顧勝。親重偏至，張頗不懨。于時張年九歲，顧年七歲，和與俱至寺中。見佛般泥洹像，弟子有泣者，有不泣者。和以問二孫。玄謂：『被親故泣，不被親故不泣。』敷曰：『不然。當由忘情故不泣，不能忘情故泣。』

㉜庾法暢造庾太尉，握麈尾至佳。公曰：『此至佳，那得在？』法暢曰：『廉者不求，貪者不與，故得在耳。』

㉝庾穉恭爲荆州，以毛扇上武帝。武帝疑是故物。侍中劉劭曰：『柏梁雲構，工匠先居其下；管弦繁奏，鍾、夔先聽其音。穉恭上扇，以好不以新。』庾後聞之，曰：『此人宜在帝左右。』

㉞何驃騎亡後，徵褚公入。既至石頭，王長史、劉尹同詣褚。褚曰：『真長何以處我？』真長顧王曰：『此子能言。』褚因視王，王曰：『國自有周公。』

㉟桓公北征經金城，見前爲琅邪時種柳，皆已十圍，慨然曰：『木猶如此，人何以堪！』攀枝執條，泫然流泪。

㊱簡文作撫軍時，嘗與桓宣武俱入朝，更相讓在前，宣武不得已而先之，因曰：『伯也執殳，爲王前驅。』簡文曰：『所謂「無小無大，從公于邁」。』

㊲顧悦與簡文同年，而髮蚤白。簡文曰：『卿何以先白？』對曰：『蒲柳之姿，望秋而落；松柏之質，經霜彌茂。』

㊿8桓公入峽，絶壁天懸，騰波迅急。乃嘆曰：『既爲忠臣，不得爲孝子，如何？』

59初，熒惑入太微，尋廢海西，簡文登阼，復入太微，帝惡之。時郗超爲中書在直。引超入曰：『天命修短，故非所計。政當無復近日事不？』超曰：『大司馬方將外固封疆，内鎮社稷，必無若此之慮。臣爲陛下以百口保之。』帝因誦庾仲初詩曰：『志士痛朝危，忠臣哀主辱。』聲甚凄厲。郗受假還東，帝曰：『致意尊公，家國之事，遂至于此！由是身不能以道匡衛，思患預防。愧嘆之深，言何能喻？』因泣下流襟。

60簡文在暗室中坐，召宣武。宣武至，問上何在。簡文曰：『某在斯。』時人以爲能。

61簡文入華林園，顧謂左右曰：『會心處，不必在遠。翳然林水，便自有濠、濮間想也。覺鳥獸禽魚，自來親人。』

62謝太傅語王右軍曰：『中年傷于哀樂，與親友別，輒作數日惡。』王曰：『年在桑榆，自然至此，正賴絲竹陶寫，恒恐兒輩覺，損欣樂之趣。』

63支道林常養數匹馬。或言道人畜馬不韵，支曰：『貧道重其神駿。』

64劉尹與桓宣武共聽講《禮記》。桓云：『時有入心處，便覺咫尺玄門。』劉曰：『此未關至極，自是金華殿之語。』

65羊秉爲撫軍參軍，少亡，有令譽。夏侯孝若爲之叙，極相贊悼。羊權爲黄門侍郎，侍簡文坐。帝問曰：『夏侯湛作羊秉叙，絶可想。是卿何物？有後不？』權潸然對曰：『亡伯令問夙彰，而無有繼嗣。雖名播天聽，然胤絶聖世。』帝嗟慨久之。

66王長史與劉真長別後相見，王謂劉曰：『卿更長進。』答曰：『此若天之自高耳。』

67劉尹云：『人想王荆産佳，此想長松下當有清風耳。』

⑥⑧王仲祖聞蠻語不解，茫然曰：『若使介葛盧來朝，故當不昧此語。』

⑥⑨劉真長爲丹陽尹，許玄度出都就劉宿。床帷新麗，飲食豐甘。許曰：『若保全此處，殊勝東山。』劉曰：『卿若知吉凶由人，吾安得不保此！』王逸少在坐曰：『令巢、許遇稷、契，當無此言。』二人并有愧色。

⑦⓪王右軍與謝太傅共登冶城，謝悠然遠想，有高世之志。王謂謝曰：『夏禹勤王，手足胼胝；文王旰食，日不暇給。今四郊多壘，宜人人自效。而虛談廢務，浮文妨要，恐非當今所宜。』謝答曰：『秦任商鞅，二世而亡，豈清言致患邪？』

⑦①謝太傅寒雪日内集，與兒女講論文義。俄而雪驟，公欣然曰：『白雪紛紛何所似？』兄子胡兒曰：『撒鹽空中差可擬。』兄女曰：『未若柳絮因風起。』公大笑樂。即公大兄無奕女，左將軍王凝之妻也。

⑦②王中郎令伏玄度、習鑿齒論青、楚人物。臨成，以示韓康伯。康伯都無

言，王曰：『何故不言？』韓曰：『無可無不可。』

⑦③劉尹云：『清風朗月，輒思玄度。』

⑦④荀中郎在京口，登北固望海云：『雖未睹三山，便自使人有凌雲意。若秦、漢之君，必當褰裳濡足。』

⑦⑤謝公云：『賢聖去人，其間亦邇。』子侄未之許。公嘆曰：『若郗超聞此語，必不至河漢。』

⑦⑥支公好鶴，住剡東岇山。有人遺其雙鶴，少時翅長欲飛。支意惜之，乃鎩其翮。鶴軒翥不復能飛，乃反顧翅，垂頭視之，如有懊喪意。林曰：『既有凌霄之姿，何肯爲人作耳目近玩？』養令翮成，置使飛去。

⑦⑦謝中郎經曲阿後湖，問左右：『此是何水？』答曰：『曲阿湖。』謝曰：『故當淵注渟著，納而不流。』

⑦⑧晋武帝每餉山濤恒少。謝太傅以問子弟，車騎答曰：『當由欲者不多，

而使與者忘少。』

⑲謝胡兒語庾道季：『諸人莫當就卿談，可堅城壘。』庾曰：『若文度來，我以偏師待之；康伯來，濟河焚舟。』

⑳李弘度常嘆不被遇。殷揚州知其家貧，問：『君能屈志百里不？』李答曰：『「北門之嘆，久已上聞；窮猿奔林，豈暇擇木！」』遂授剡縣。

㉑王司州至吴興印渚中看，嘆曰：『非唯使人情開滌，亦覺日月清朗。』

㉒謝萬作豫州都督，新拜，當西之都邑，相送累日，謝疲頓。于是高侍中往，徑就謝坐，因問：『卿今仗節方州，當疆理西蕃，何以爲政？』謝粗道其意。高便爲謝道形勢，作數百語。謝遂起坐。高去後，謝追曰：『阿酃故粗有才具。』謝因此得終坐。

㉓袁彦伯爲謝安南司馬，都下諸人送至瀨鄉。將别，既自凄惘，嘆曰：『江山遼落，居然有萬里之勢！』

㉔孫綽賦遂初，築室畎川，自言見止足之分。齋前種一株松，恒自手壅治之。高世遠時亦鄰居，語孫曰：『松樹子非不楚楚可憐，但永無棟梁用耳！』孫曰：『楓柳雖合抱，亦何所施？』

㉕桓征西治江陵城甚麗，會賓僚出江津望之，云：『若能目此城者有賞。』顧長康時爲客，在坐，目曰：『遥望層城，丹樓如霞。』桓即賞以二婢。

㉖王子敬語王孝伯曰：『羊叔子自復佳耳，然亦何與人事？故不如銅雀臺上妓。』

㉗林公見東陽長山曰：『何其坦迤！』

㉘顧長康從會稽還，人問山川之美，顧云：『千岩競秀，萬壑争流，草木蒙籠其上，若雲興霞蔚。』

㉙簡文崩，孝武年十餘歲立，至暝不臨。左右啓：『依常應臨。』帝曰：『哀至則哭，何常之有！』

(90)孝武將講《孝經》，謝公兄弟與諸人私庭講習。車武子難苦問謝，謂袁羊曰：『不問則德音有遺，多問則重勞二謝。』袁曰：『必無此嫌。』車曰：『何以知爾？』袁曰：『何嘗見明鏡疲于屢照，清流憚于惠風。』

(91)王子敬云：『從山陰道上行，山川自相映發，使人應接不暇。若秋冬之際，尤難爲懷。』

(92)謝太傅問諸子侄：『子弟亦何預人事，而正欲使其佳？』諸人莫有言者，車騎答曰：『譬如芝蘭玉樹，欲使其生于階庭耳。』

(93)道壹道人好整飾音辭，從都下還東山，經吳中。已而會雪下，未甚寒。諸道人問在道所經。壹公曰：『風霜固所不論，乃先集其慘澹。郊邑正自飄瞥，林岫便已浩然。』

(94)張天錫爲凉州刺史，稱制西隅。既爲苻堅所禽，用爲侍中。後于壽陽俱敗，至都，爲孝武所器。每入言論，無不竟日。頗有嫉己者，于坐問張：『北方何物可貴？』張曰：『桑椹甘香，鴟鴞革響。淳酪養性，人無嫉心。』

(95)顧長康拜桓宣武墓，作詩云：『山崩溟海竭，魚鳥將何依。』人問之曰：『卿憑重桓乃爾，哭之狀其可見乎？』顧曰：『鼻如廣莫長風，眼如懸河決溜。』或曰：『聲如震雷破山，泪如傾河注海。』

(96)毛伯成既負其才氣，常稱：『寧爲蘭摧玉折，不作蕭敷艾榮。』

(97)范甯作豫章，八日請佛有板。衆僧疑，或欲作答。有小沙彌在坐末，曰：『世尊默然，則爲許可。』衆從其義。

(98)司馬太傅齋中夜坐，于時天月明净，都無纖翳，太傅嘆以爲佳。謝景重在坐，答曰：『意謂乃不如微雲點綴。』太傅因戲謝曰：『卿居心不净，乃復强欲滓穢太清邪？』

(99)王中郎甚愛張天錫，問之曰：『卿觀過江諸人經緯，江左軌轍，有何偉异？後來之彦，復何如中原？』張曰：『研求幽邃，自王、何以還；因時修制，荀、樂之風。』王曰：『卿知見有餘，何故爲苻堅所制？』答曰：『陽消陰息，故天步屯蹇；否剝成象，豈足多譏？』

100 謝景重女適王孝伯兒，二門公甚相愛美。謝爲太傅長史，被彈；王即取作長史，帶晉陵郡。太傅已構嫌孝伯，不欲使其得謝，還取作咨議。外示縶維，而實以乖間之。及孝伯敗後，太傅繞東府城行散，僚屬悉在南門，要望候拜。時謂謝曰：『王甯异謀，云是卿爲其計。』謝曾無懼色，斂笏對曰：『樂彥輔有言：「豈以五男易一女？」』太傅善其對，因舉酒勸之曰：『故自佳！故自佳！』

101 桓玄義興還後，見司馬太傅，太傅已醉，坐上多客。問人云：『桓溫來欲作賊，如何？』桓玄伏不得起。謝景重時爲長史，舉板答曰：『故宣武公黜昏暗，登聖明，功超伊、霍。紛紜之議，裁之聖鑒。』太傅曰：『我知！我知！』即舉酒云：『桓義興，勸卿酒！』桓出謝過。

102 宣武移鎮南州，制街衢平直。人謂王東亭曰：『丞相初營建康，無所因承，而制置紆曲，方此爲劣。』東亭曰：『此丞相乃所以爲巧。江左地促，不如中國；若使阡陌條暢，則一覽而盡，故紆餘委曲，若不可測。』

103 桓玄詣殷荊州，殷在妾房晝眠，左右辭不之通。桓後言及此事，殷云：『初不眠，縱有此，豈不以「賢賢易色」也！』

104 桓玄問羊孚：『何以共重吴聲？』羊曰：『當以其妖而浮。』

105 謝混問羊孚：『何以器舉瑚璉？』羊曰：『故當以爲接神之器。』

106 桓玄既篡位，後御床微陷，群臣失色。侍中殷仲文進曰：『當由聖德淵重，厚地所以不能載。』時人善之。

107 桓玄既篡位，將改置直館，問左右：『虎賁中郎省，應在何處？』有人答曰：『無省。』當時殊忤旨。問：『何以知無？』答曰：『潘岳《秋興賦》叙曰：「余兼虎賁中郎將，寓直散騎之省。」』玄咨嗟稱善。

⑩⑧ 謝靈運好戴曲柄笠，孔隱士謂曰：『卿欲希心高遠，何不能遺曲蓋之貌？』謝答曰：『將不畏影者，未能忘懷。』

政事第三

① 陳仲弓爲太丘長，時吏有詐稱母病求假。事覺收之，令吏殺焉。主簿請付獄，考衆奸。仲弓曰：『欺君不忠，病母不孝。不忠不孝，其罪莫大。考求衆奸，豈復過此？』

② 陳仲弓爲太丘長，有劫賊殺財主主者，捕之。未至發所，道聞民有在草不起子者，回車往治之。主簿曰：『賊大，宜先按討。』仲弓曰：『盗殺財主，何如骨肉相殘？』

③ 陳元方年十一時，候袁公。袁公問曰：『賢家君在太丘，遠近稱之，何所履行？』元方曰：『老父在太丘，强者綏之以德，弱者撫之以仁，恣其所安，久而益敬。』袁公曰：『孤往者嘗爲鄴令，正行此事。不知卿家君法孤？孤法卿父？』元方曰：『周公、孔子，异世而出，周旋動静，萬里如一。周公不師孔子，孔子亦不師周公。』

④ 賀太傅作吴郡，初不出門。吴中諸强族輕之，乃題府門云：『會稽鷄，不能啼。』賀聞故出行，至門反顧，索筆足之曰：『不可啼，殺吴兒！』于是至諸屯邸，檢校諸顧、陸役使官兵及藏逋亡，悉以事言上，罪者甚衆。陸抗時爲江陵都督，故下請孫皓，然後得釋。

⑤ 山公以器重朝望，年逾七十，猶知管時任。貴勝年少，若和、裴、王之徒，并共言咏。有署閣柱曰：『閣東，有大牛，和嶠鞅，裴楷鞦，王濟剔嬲不得休。』或云潘尼作之。

⑥ 賈充初定律令，與羊祜共咨太傅鄭沖，沖曰：『皋陶嚴明之旨，非僕暗懦所探。』羊曰：『上意欲令小加弘潤。』沖乃粗下意。

⑦ 山司徒前後選，殆周遍百官，擧無失才。凡所題目，皆如其言。唯用陸

亮，是詔所用，與公意异，争之不從。亮亦尋爲賄敗。

⑧嵇康被誅後，山公舉康子紹爲秘書丞。紹咨公出處，公曰：『爲君思之久矣！天地四時，猶有消息，而况人乎？』

⑨王安期爲東海郡。小吏盗池中魚，綱紀推之。王曰：『文王之囿，與衆共之。池魚復何足惜！』

⑩王安期作東海郡，吏録一犯夜人來。王問：『何處來？』云：『從師家受書還，不覺日晚。』王曰：『鞭撻甯越以立威名，恐非致理之本。』使吏送令歸家。

⑪成帝在石頭，任讓在帝前戮侍中鍾雅、右衛將軍劉超。帝泣曰：『還我侍中！』讓不奉詔，遂斬超、雅。事平之後，陶公與讓有舊，欲宥之。許柳兒思妣者至佳，諸公欲全之。若全思妣，則不得不爲陶全讓，于是欲并宥之。事奏，帝曰：『讓是殺我侍中者，不可宥！』諸公以少主不可違，并斬二人。

⑫王丞相拜揚州，賓客數百人并加沾接，人人有説色。唯有臨海一客姓任及數胡人爲未洽，公因便還到過任邊云：『君出，臨海便無復人。』任大喜説。因過胡人前彈指云：『蘭闍，蘭闍。』群胡同笑，四坐并歡。

⑬陸太尉詣王丞相咨事，過後輒翻异，王公怪其如此，後以問陸。陸曰：『公長民短，臨時不知所言，既後覺其不可耳。』

⑭丞相嘗夏月至石頭看庾公，庾公正料事。丞相云：『暑可小簡之。』庾公曰：『公之遺事，天下亦未以爲允。』

⑮丞相末年，略不復省事，正封籙諾之。自嘆曰：『人言我憒憒，後人當思此憒憒。』

⑯陶公性檢厲，勤于事。作荆州時，敕船官悉録鋸木屑，不限多少。咸不解此意。後正會，值積雪始晴，聽事前除雪後猶濕，于是悉用木屑覆之，都無所妨。官用竹皆令録厚頭，積之如山。後桓宣武伐蜀，裝船，悉以作釘。又云：

嘗發所在竹篙，有一官長連根取之，仍當足，乃超兩階用之。

⑰何驃騎作會稽，虞存弟謇作郡主簿，以何見客勞損，欲白斷常客，使家人節量，擇可通者作白事成，以見存。存時爲何上佐，正與謇共食，語云：『白事甚好，待我食畢作教。』食竟，取筆題白事後云：『若得門庭長如郭林宗者，當如所白。汝何處得此人？』謇于是止。

⑱王、劉與林公共看何驃騎，驃騎看文書，不顧之。王謂何曰：『我今故與林公來相看，望卿擺撥常務，應對玄言，那得方低頭看此邪？』何曰：『我不看此，卿等何以得存？』諸人以爲佳。

⑲桓公在荆州，全欲以德被江、漢，耻以威刑肅物。令史受杖，正從朱衣上過。桓式年少，從外來，云：『向從閣下過，見令史受杖，上捎雲根，下拂地足。』意譏不著。桓公云：『我猶患其重。』

⑳簡文爲相，事動經年，然後得過。桓公甚患其遲，常加勸勉。太宗曰：『一日萬機，那得速！』

㉑山遐去東陽，王長史就簡文索東陽云：『承藉猛政，故可以和静致治。』

㉒殷浩始作揚州，劉尹行，日小欲晚，便使左右取襥。人問其故，答曰：『刺史嚴，不敢夜行。』

㉓謝公時，兵厮逋亡，多近竄南塘，下諸舫中。或欲求一時搜索，謝公不許，云：『若不容置此輩，何以爲京都？』

㉔王大爲吏部郎，嘗作選草，臨當奏，王僧彌來，聊出示之。僧彌得，便以己意改易所選者近半，王大甚以爲佳，更寫即奏。

㉕王東亭與張冠軍善。王既作吴郡，人問小令曰：『東亭作郡，風政何似？』答曰：『不知治化何如，唯與張祖希情好日隆耳。』

㉖殷仲堪當之荆州，王東亭問曰：『德以居全爲稱，仁以不害物爲名。方今宰牧華夏，處殺戮之職，與本操將不乖乎？』殷答曰：『皋陶造刑辟之制，

不爲不賢；孔丘居司寇之任，未爲不仁。』

文學第四

①鄭玄在馬融門下，三年不得相見，高足弟子傳授而已。嘗算渾天不合，諸弟子莫能解。或言玄能者，融召令算，一轉便決，衆咸駭服。及玄業成辭歸，既而融有『禮樂皆東』之嘆，恐玄擅名而心忌焉。玄亦疑有追，乃坐橋下，在水上據屐。融果轉式逐之，告左右曰：『玄在土下水上而據木，此必死矣。』遂罷追。玄竟以得免。

②鄭玄欲注《春秋傳》，尚未成，時行與服子慎遇，宿客舍。先未相識，服在外車上與人説己注《傳》意。玄聽之良久，多與己同。玄就車與語曰：『吾久欲注，尚未了。聽君向言，多與吾同。今當盡以所注與君。』遂爲服氏注。

③鄭玄家奴婢皆讀書。嘗使一婢，不稱旨，將撻之。方自陳説，玄怒，使人曳箸泥中。須臾，復有一婢來，問曰：『胡爲乎泥中？』答曰：『薄言往愬，逢彼之怒。』

④服虔既善《春秋》，將爲注，欲參考同異；聞崔烈集門生講傳，遂匿姓名，爲烈門人賃作食。每當至講時，輒竊聽户壁間。既知不能逾己，稍共諸生叙其短長。烈聞，不測何人。然素聞虔名，意疑之。明蚤往，及未寤，便呼：『子慎！子慎！』虔不覺驚應，遂相與友善。

⑤鍾會撰《四本論》，始畢，甚欲使嵇公一見。置懷中，既定，畏其難，懷不敢出，于户外遥擲，便回急走。

⑥何晏爲吏部尚書，有位望，時談客盈坐。王弼未弱冠，往見之。晏聞弼名，因條向者勝理語弼曰：『此理僕以爲極，可得復難不？』弼便作難，一坐人便以爲屈。于是弼自爲客主數番，皆一坐所不及。

⑦何平叔注《老子》，始成，詣王輔嗣，見王注精奇，乃神伏曰：『若斯人，可與論天人之際矣！』因以所注爲道德二論。

⑧王輔嗣弱冠詣裴徽，徽問曰：「夫無者，誠萬物之所資，聖人莫肯致言，而老子申之無已，何邪？」弼曰：「聖人體無，無又不可以訓，故言必及有；老、莊未免于有，恒訓其所不足。」

⑨傅嘏善言虛勝，荀粲談尚玄遠。每至共語，有爭而不相喻。裴冀州釋二家之義，通彼我之懷，常使兩情皆得，彼此俱暢。

⑩何晏注《老子》未畢，見王弼自説注《老子》旨，何意多所短，不復得作聲，但應諾諾。遂不復注，因作《道德論》。

⑪中朝時，有懷道之流，有詣王夷甫咨疑者。值王昨已語多，小極，不復相酬答，乃謂客曰：「身今少惡，裴逸民亦近在此，君可往問。」

⑫裴成公作崇有論，時人攻難之，莫能折。唯王夷甫來，如小屈。時人即以王理難裴，理還復申。

⑬諸葛厷年少不肯學問。始與王夷甫談，便已超詣。王嘆曰：「卿天才卓出，若復小加研尋，一無所愧。」厷後看《莊》、《老》，更與王語，便足相抗衡。

⑭衛玠總角時問樂令「夢」，樂云「是想」。衛曰：「形神所不接而夢，豈是想邪？」樂云：「因也。未嘗夢乘車入鼠穴擣韲啖鐵杵，皆無想無因故也。」衛思「因」，經日不得，遂成病。樂聞，故命駕爲剖析之。衛既小差。樂嘆曰：「此兒胸中當必無膏肓之疾！」

⑮庾子嵩讀《莊子》，開卷一尺許便放去，曰：「了不异人意。」

⑯客問樂令「旨不至」者，樂亦不復剖析文句，直以麈尾柄确几曰：「至不？」客曰：「至！」樂因又舉麈尾曰：「若至者，那得去？」于是客乃悟服。樂辭約而旨達，皆此類。

⑰初，注《莊子》者數十家，莫能究其旨要。向秀于舊注外爲解義，妙析奇致，大暢玄風。唯《秋水》、《至樂》二篇未竟而秀卒。秀子幼，義遂零落，然猶有別本。郭象者，爲人薄行，有俊才。見秀義不傳于世，遂竊以爲己注。乃自

注《秋水》、《至樂》二篇，又易《馬蹄》一篇，其餘衆篇，或定點文句而已。後秀義別本出，故今有向、郭二莊，其義一也。

⑱阮宣子有令聞。太尉王夷甫見而問曰：「老、莊與聖教同异？」對曰：「將無同？」太尉善其言，辟之爲掾。世謂「三語掾」。衛玠嘲之曰：「一言可辟，何假于三？」宣子曰：「苟是天下人望，亦可無言而辟，復何假一？」遂相與爲友。

⑲裴散騎娶王太尉女。婚後三日，諸婿大會，當時名士，王、裴子弟悉集。郭子玄在坐，挑與裴談。子玄才甚豐贍，始數交未快。郭陳張甚盛，裴徐理前語，理致甚微，四坐咨嗟稱快。王亦以爲奇，謂語諸人曰：「君輩勿爲爾，將受困寡人女婿！」

⑳衛玠始度江，見王大將軍。因夜坐，大將軍命謝幼輿。玠見謝，甚説之，都不復顧王，遂達旦微言。王永夕不得豫。玠體素羸，恒爲母所禁。爾夕忽極，于此病篤，遂不起。

㉑舊云：王丞相過江左，止道聲無哀樂、養生、言盡意，三理而已。然宛轉關生，無所不入。

㉒殷中軍爲庾公長史，下都，王丞相爲之集，桓公、王長史、王藍田、謝鎮西并在。丞相自起解帳帶麈尾，語殷曰：「身今日當與君共談析理。」既共清言，遂達三更。丞相與殷共相往反，其餘諸賢，略無所關。既彼我相盡，丞相乃嘆曰：「向來語，乃竟未知理源所歸，至于辭喻不相負。正始之音，正當爾耳！」明旦，桓宣武語人曰：「昨夜聽殷、王清言甚佳，仁祖亦不寂寞，我亦時復造心，顧看兩王掾，輒翣如生母狗馨。」

㉓殷中軍見佛經云：「理亦應阿堵上。」

㉔謝安年少時，請阮光禄道白馬論，爲論以示謝。于時謝不即解阮語，重相咨盡。阮乃嘆曰：「非但能言人不可得，正索解人亦不可得！」

㉕褚季野語孫安國云：『北人學問，淵綜廣博。』孫答曰：『南人學問，清通簡要。』支道林聞之，曰：『聖賢固所忘言。自中人以還，北人看書，如顯處視月；南人學問，如牖中窺日。』

㉖劉真長與殷淵源談，劉理如小屈，殷曰：『惡卿不欲作將善雲梯仰攻？』

㉗殷中軍云：『康伯未得我牙後慧。』

㉘謝鎮西少時，聞殷浩能清言，故往造之。殷未過有所通，爲謝標榜諸義，作數百語，既有佳致，兼辭條豐蔚，甚足以動心駭聽。謝注神傾意，不覺流汗交面。殷徐語左右：『取手巾與謝郎拭面。』

㉙宣武集諸名勝講《易》，日說一卦。簡文欲聽，聞此便還。曰：『義自當有難易，其以一卦爲限邪？』

㉚有北來道人好才理，與林公相遇于瓦官寺，講小品。于時竺法深、孫興公悉共聽。此道人語，屢設疑難，林公辯答清析，辭氣俱爽。此道人每輒摧屈。孫問深公：『上人當是逆風家，向來何以都不言？』深公笑而不答。林公曰：『白旃檀非不馥，焉能逆風？』深公得此義，夷然不屑。

㉛孫安國往殷中軍許共論，往反精苦，客主無間。左右進食，冷而復暖者數四。彼我奮擲麈尾，悉脱落，滿餐飯中。賓主遂至莫忘食。殷乃語孫曰：『卿莫作强口馬，我當穿卿鼻！』孫曰：『卿不見决鼻牛，人當穿卿頰！』

㉜莊子《逍遥篇》，舊是難處，諸名賢所可鑽味，而不能拔理于郭、向之外。支道林在白馬寺中，將馮太常共語，因及逍遥。支卓然標新理于二家之表，立异義于衆賢之外，皆是諸名賢尋味之所不得。後遂用支理。

㉝殷中軍嘗至劉尹所清言。良久，殷理小屈，游辭不已，劉亦不復答。殷去後，乃云：『田舍兒，强學人作爾馨語。』

㉞殷中軍雖思慮通長，然于才性偏精。忽言及《四本》，便若湯池鐵城，無

可攻之勢。

㉟支道林造《即色論》，論成，示王中郎。中郎都無言。支曰：『默而識之乎？』王曰：『既無文殊，誰能見賞？』

㊱王逸少作會稽，初至，支道林在焉。孫興公謂王曰：『支道林拔新領异，胸懷所及乃自佳，卿欲見不？』王本自有一往雋氣，殊自輕之。後孫與支共載往王許，王都領域，不與交言。須臾支退。後正值王當行，車已在門。支語王曰：『君未可去，貧道與君小語。』因論《莊子·逍遥游》。支作數千言，才藻新奇，花爛映發。王遂披襟解帶，留連不能已。

㊲三乘佛家滯義，支道林分判，使三乘炳然。諸人在下坐聽，皆云可通。支下坐，自共說，正當得兩，入三便亂。今義弟子雖傳，猶不盡得。

㊳許掾年少時，人以比王苟子，許大不平。時諸人士及于法師并在會稽西寺講，王亦在焉。許意甚忿，便往西寺與王論理，共決優劣。苦相折挫，王遂

大屈。許復執王理，王執許理，更相覆疏；王復屈。許謂支法師曰：『弟子向語何似？』支從容曰：『君語佳則佳矣，何至相苦邪？豈是求理中之談哉？』

㊴林道人詣謝公，東陽時始總角，新病起，體未堪勞。與林公講論，遂至相苦。母王夫人在壁後聽之，再遣信令還，而太傅留之。王夫人因自出云：『新婦少遭家難，一生所寄，唯在此兒。』因流涕抱兒以歸。謝公語同坐曰：『家嫂辭情忼慨，致可傳述，恨不使朝士見。』

㊵支道林、許掾諸人共在會稽王齋頭。支爲法師，許爲都講。支通一義，四坐莫不厭心；許送一難，衆人莫不抃舞。但共嗟咏二家之美，不辯其理之所在。

㊶謝車騎在安西艱中，林道人往就語，將夕乃退。有人道上見者，問云：『公何處來？』答云：『今日與謝孝劇談一出來。』

㊷支道林初從東出，住東安寺中。王長史宿構精理，并撰其才藻，往與支語，不大當對。王叙致作數百語，自謂是名理奇藻。支徐徐謂曰：『身與君別多年，君義言了不長進。』王大慚而退。

㊸殷中軍讀小品，下二百籤，皆是精微，世之幽滯。嘗欲與支道林辯之，竟不得。今小品猶存。

㊹佛經以爲祛練神明，則聖人可致。簡文云：『不知便可登峰造極不？然陶練之功，尚不可誣。』

㊺于法開始與支公爭名，後精漸歸支，意甚不忿，遂遁迹剡下。遣弟子出都，語使過會稽。于時支公正講小品。開戒弟子：『道林講，比汝至，當在某品中。』因示語攻難數十番，云：『舊此中不可復通。』弟子如言詣支公。正值講，因謹述開意。往反多時，林公遂屈。厲聲曰：『君何足復受人寄載！』

㊻殷中軍問：『自然無心于稟受，何以正善人少，惡人多？』諸人莫有言者。劉尹答曰：『譬如寫水著地，正自縱橫流漫，略無正方圓者。』一時絶嘆，以爲名通。

㊼康僧淵初過江，未有知者，恒周旋市肆，乞索以自營。忽往殷淵源許，值盛有賓客，殷使坐，粗與寒温，遂及義理。語言辭旨，曾無愧色。領略粗舉，一往參詣。由是知之。

㊽殷、謝諸人共集。謝因問殷：『眼往屬萬形，萬形來入眼不？』

㊾人有問殷中軍：『何以將得位而夢棺器，將得財而夢矢穢？』殷曰：『官本是臭腐，所以將得而夢棺尸；財本是糞土，所以將得而夢穢污。』時人以爲名通。

㊿殷中軍被廢東陽，始看佛經。初視維摩詰，疑『般若波羅密』太多，後見小品，恨此語少。

51支道林、殷淵源俱在相王許。相王謂二人：『可試一交言。而才性殆是淵源崤、函之固，君其慎焉！』支初作，改轍遠之，數四交，不覺入其玄中。相王撫肩笑曰：『此自是其勝場，安可爭鋒！』

㊾謝公因子弟集聚，問：『毛詩何句最佳？』遏稱曰：『「昔我往矣，楊柳依依；今我來思，雨雪霏霏。」』公曰：『「訏謨定命，遠猷辰告。」』謂此句偏有雅人深致。

㊿張憑舉孝廉出都，負其才氣，謂必參時彥。欲詣劉尹，鄉里及同舉者共笑之。張遂詣劉。劉洗濯料事，處之下坐，唯通寒暑，神意不接。張欲自發無端。頃之，長史諸賢來清言。客主有不通處，張乃遙于末坐判之，言約旨遠，足暢彼我之懷，一坐皆驚。真長延之上坐，清言彌日，因留宿至曉。張退，劉曰：『卿且去，正當取卿共詣撫軍。』張還船，同侶問何處宿，張笑而不答。須臾，真長遣傳教覓張孝廉船，同侶惋愕。即同載詣撫軍。至門，劉前進謂撫軍曰：『下官今日爲公得一太常博士妙選。』既前，撫軍與之話言，咨嗟稱善，曰：『張憑勃窣爲理窟。』即用爲太常博士。

㊿汰法師云：『「六通」、「三明」同歸，正異名耳。』

㊿支道林、許、謝盛德，共集王家。謝顧謂諸人：『今日可謂彥會，時既不可留，此集固亦難常。當共言咏，以寫其懷。』許便問主人：『有莊子不？』正得漁父一篇。謝看題，便各使四坐通。支道林先通，作七百許語，叙致精麗，才藻奇拔，衆咸稱善。于是四坐各言懷畢。謝問曰：『卿等盡不？』皆曰：『今日之言，少不自竭。』謝後粗難，因自叙其意，作萬餘語，才峰秀逸。既自難干，加意氣凝托，蕭然自得，四坐莫不厭心。支謂謝曰：『君一往奔詣，故復自佳耳。』

㊿殷中軍、孫安國、王、謝能言諸賢，悉在會稽王許。殷與孫共論易象妙于見形。孫語道合，意氣干雲，一坐咸不安孫理，而辭不能屈。會稽王慨然嘆曰：『使真長來，故應有以制彼。』既迎真長，孫意己不如。真長既至，先令孫

自叙本理，孫粗説已語，亦覺殊不及向。劉便作二百許語，辭難簡切，孫理遂屈。一坐同時拊掌而笑，稱美良久。

(57)僧意在瓦官寺中，王苟子來，與共語，便使其唱理。意謂王曰：『聖人有情不？』王曰：『無。』重問曰：『聖人如柱邪？』王曰：『如籌算，雖無情，運之者有情。』僧意云：『誰運聖人邪？』苟子不得答而去。

(58)司馬太傅問謝車騎：『惠子其書五車，何以無一言入玄？』謝曰：『故當是其妙處不傳。』

(59)殷中軍被廢，徙東陽，大讀佛經，皆精解。唯至『事數』處不解。遇見一道人，問所籤，便釋然。

(60)殷仲堪精核玄論，人謂莫不研究。殷乃嘆曰：『使我解《四本》，談不翅爾。』

(61)殷荊州曾問遠公：『易以何爲體？』答曰：『易以感爲體。』殷曰：『銅山西崩，靈鐘東應，便是易耶？』遠公笑而不答。

(62)羊孚弟娶王永言女。及王家見婿，孚送弟俱往。時永言父東陽尚在，殷仲堪是東陽女婿，亦在坐。孚雅善理義，乃與仲堪道《齊物》，殷難之。羊云：『君四番後，當得見同。』殷笑曰：『乃可得盡，何必相同？』乃至四番後一通。殷咨嗟曰：『僕便無以相异。』嘆爲新拔者久之。

(63)殷仲堪云：『三日不讀《道德經》，便覺舌本間强。』

(64)提婆初至，爲東亭第講阿毗曇。始發講，坐裁半，僧彌便云：『都已曉。』即于坐分數四有意道人，更就餘屋自講。提婆講竟，東亭問法岡道人曰：『弟子都未解，阿彌那得已解？所得云何？』曰：『大略全是，故當小未精核耳。』

(65)桓南郡與殷荊州共談，每相攻難。年餘後，但一兩番。桓自嘆才思轉退。殷云：『此乃是君轉解。』

66文帝嘗令東阿王七步中作詩，不成者行大法。應聲便爲詩曰：『煮豆持作羹，漉菽以爲汁。萁在釜下然，豆在釜中泣。本自同根生，相煎何太急？』帝深有慚色。

67魏朝封晉文王爲公，備禮九錫，文王固讓不受。公卿將校當詣府敦喻。司空鄭沖馳遣信就阮籍求文。籍時在袁孝尼家，宿醉扶起，書札爲之，無所點定，乃寫付使。時人以爲神筆。

68左太沖作《三都賦》初成，時人互有譏訾，思意不愜。後示張公，張曰：『此二京可三，然君文未重于世，宜以經高名之士。』思乃詢求于皇甫謐。謐見之嗟嘆，遂爲作叙。于是先相非貳者，莫不斂衽贊述焉。

69劉伶著《酒德頌》，意氣所寄。

70樂令善于清言，而不長于手筆。將讓河南尹，請潘岳爲表。潘云：『可作耳。要當得君意。』樂爲述己所以爲讓，標位二百許語。潘直取錯綜，便成名筆。時人咸云：『若樂不假潘之文，潘不取樂之旨，則無以成斯矣。』

71夏侯湛作周詩成，示潘安仁。安仁曰：『此非徒温雅，乃别見孝悌之性。』潘因此遂作家風詩。

72孫子荆除婦服，作詩以示王武子。王曰：『未知文生于情，情生于文。覽之凄然，增伉儷之重。』

73太叔廣甚辯給，而摯仲治長于翰墨，俱爲列卿。每至公坐，廣談，仲治不能對。退著筆難廣，廣又不能答。

74江左殷太常父子，并能言理，亦有辯訥之异。揚州口談至劇，太常輒云：『汝更思吾論。』

75庾子嵩作《意賦》成，從子文康見，問曰：『若有意邪，非賦之所盡；若無意邪，復何所賦？』答曰：『正在有意無意之間。』

76郭景純詩云：『林無静樹，川無停流。』阮孚云：『泓峥蕭瑟，實不可言。

每讀此文，輒覺神超形越。』

(77)庾闡始作《揚都賦》，道温、庾云：『温挺義之標，庾作民之望。方響則金聲，比德則玉亮。』庾公聞賦成，求看，兼贈貺之。闡更改『望』爲『俊』，以『亮』爲『潤』云。

(78)孫興公作庾公誄。袁羊曰：『見此張緩。』于時以爲名賞。

(79)庾仲初作《揚都賦》成，以呈庾亮。亮以親族之懷，大爲其名價云：『可三二京，四三都。』于此人人競寫，都下紙爲之貴。謝太傅云：『不得爾。此是屋下架屋耳，事事擬學，而不免儉狹。』

(80)習鑿齒史才不常，宣武甚器之，未三十，便用爲荆州治中。鑿齒謝箋亦云：『不遇明公，荆州老從事耳！』後至都見簡文，返命，宣武問：『見相王何如？』答云：『一生不曾見此人！』從此忤旨，出爲衡陽郡，性理遂錯。于病中猶作漢晋春秋，品評卓逸。

(81)孫興公云：『三都、二京，五經鼓吹。』

(82)謝太傅問主簿陸退：『張憑何以作母誄，而不作父誄？』退答曰：『故當是丈夫之德，表于事行；婦人之美，非誄不顯。』

(83)王敬仁年十三，作《賢人論》。長史送示真長，真長答云：『見敬仁所作論，便足參微言。』

(84)孫興公云：『潘文爛若披錦，無處不善；陸文若排沙簡金，往往見寶。』

(85)簡文稱許掾云：『玄度五言詩，可謂妙絶時人。』

(86)孫興公作《天台賦》成，以示范榮期，云：『卿試擲地，要作金石聲。』范曰：『恐子之金石，非宫商中聲。』然每至佳句，輒云：『應是我輩語。』

(87)桓公見謝安石作簡文謚議，看竟，擲與坐上諸客曰：『此是安石碎金。』

(88)袁虎少貧，嘗爲人傭載運租。謝鎮西經船行，其夜清風朗月，聞江渚間估客船上有咏詩聲，甚有情致。所誦五言，又其所未嘗聞，嘆美不能已。即遣委曲訊問，乃是袁自咏其所作咏史詩。因此相要，大相賞得。

⑧⑨孫興公云：『潘文淺而净，陸文深而蕪。』

⑨⓪裴郎作《語林》，始出，大爲遠近所傳。時流年少，無不傳寫，各有一通。載王東亭作《經王公酒壚下賦》，甚有才情。

⑨①謝萬作《八賢論》，與孫興公往反，小有利鈍。謝後出以示顧君齊，顧曰：『我亦作，知卿當無所名。』

⑨②桓宣武命袁彦伯作《北征賦》，既成，公與時賢共看，咸嗟嘆之。時王珣在坐云：『恨少一句。得「寫」字足韵，當佳。』袁即于坐攬筆益云：『感不絶于余心，泝流風而獨寫。』公謂王曰：『當今不得不以此事推袁。』

⑨③孫興公道：『曹輔佐才如白地明光錦，裁爲負版絝，非無文采，酷無裁製。』

⑨④袁伯彦作《名士傳》成，見謝公。公笑曰：『我嘗與諸人道江北事，特作狡獪耳！彦伯遂以箸書。』

⑨⑤王東亭到桓公吏，既伏閣下，桓令人竊取其白事。東亭即于閣下更作，無復向一字。

⑨⑥桓宣武北征，袁虎時從，被責免官。會須露布文，唤袁倚馬前令作。手不輟筆，俄得七紙，殊可觀。東亭在側，極嘆其才。袁虎云：『當令齒舌間得利。』

⑨⑦袁宏始作《東征賦》，都不道陶公。胡奴誘之狹室中，臨以白刃，曰：『先公勛業如是！君作《東征賦》，云何相忽略？』宏窘蹙無計，便答：『我大道公，何以云無？』因誦曰：『精金百煉，在割能斷。功則治人，職思靖亂。長沙之勛，爲史所贊。』

⑨⑧或問顧長康：『君《箏賦》何如嵇康《琴賦》？』顧曰：『不賞者，作後出相遺。深識者，亦以高奇見貴。』

⑼殷仲文天才宏贍，而讀書不甚廣博，亮嘆曰：『若使殷仲文讀書半袁豹，才不減班固。』

⑽羊孚作《雪贊》云：『資清以化，乘氣以霏。遇象能鮮，即潔成輝。』桓胤遂以書扇。

⑾王孝伯在京行散，至其弟王睹户前，問：『古詩中何句爲最？』睹思未答。孝伯咏：『「所遇無故物，焉得不速老？」此句爲佳。』

⑿桓玄嘗登江陵城南樓云：『我今欲爲王孝伯作誄。』因吟嘯良久，隨而下筆。一坐之間，誄以之成。

⒀桓玄初并西夏，領荆、江二州，二府一國。于時始雪，五處俱賀，五版并入。玄在聽事上，版至即答，版後皆粲然成章，不相揉雜。

⒁桓玄下都，羊孚時爲兖州别駕，從京來詣門，箋云：『自頃世故睽離，心事淪藴。明公啓晨光于積晦，澄百流以一源。』桓見箋，馳唤前，云：『子道，子道，來何遲？』即用爲記室參軍。孟昶爲劉牢之主簿，詣門謝，見云：『羊侯，羊侯，百口賴卿。』

中卷

方正第五

①陳太丘與友期行，期日中。過中不至，太丘舍去，去後乃至。元方時年七歲，門外戲。客問元方：『尊君在不？』答曰：『待君久不至，已去。』友人便怒曰：『非人哉！與人期行，相委而去。』元方曰：『君與家君期日中。日中不至，則是無信；對子罵父，則是無禮。』友人慚，下車引之。元方入門不顧。

②南陽宗世林，魏武同時，而甚薄其爲人，不與之交。及魏武作司空，總朝政，從容問宗曰：『可以交未？』答曰：『松柏之志猶存。』世林既以忤旨見疏，位不配德。文帝兄弟每造其門，皆獨拜牀下。其見禮如此。

③魏文帝受禪，陳羣有戚容。帝問曰：『朕應天受命，卿何以不樂？』羣曰：『臣與華歆，服膺先朝，今雖欣聖化，猶義形于色。』

④郭淮作關中都督，甚得民情，亦屢有戰庸。淮妻，太尉王凌之妹，坐凌事，當并誅。使者徵攝甚急，淮使戒裝，克日當發。州府文武及百姓勸淮舉兵，淮不許。至期，遣妻，百姓號泣追呼者數萬人。行數十里，淮乃命左右追夫人還，于是文武奔馳，如徇身首之急。既至，淮與宣帝書曰：『五子哀戀，思念其母。其母既亡，則無五子。五子若殞，亦復無淮。』宣帝乃表，特原淮妻。

⑤諸葛亮之次渭濱，關中震動。魏明帝深懼晉宣王戰，乃遣辛毗爲軍司馬。宣王既與亮對渭而陳，亮設誘譎萬方。宣王果大忿，將欲應之以重兵。亮遣間諜覘之，還曰：『有一老夫，毅然仗黄鉞，當軍門立，軍不得出。』亮曰：『此必辛佐治也。』

⑥夏侯玄既被桎梏，時鍾毓爲廷尉，鍾會先不與玄相知，因便狎之。玄曰：『雖復刑餘之人，未敢聞命！』考掠初無一言，臨刑東市，顔色不异。

⑦夏侯泰初與廣陵陳本善。本與玄在本母前宴飲，本弟騫行還，徑入，至堂户。泰初因起曰：『可得同，不可得而雜。』

⑧高貴鄉公薨，内外喧嘩。司馬文王問侍中陳泰曰：『何以静之？』泰云：『唯殺賈充，以謝天下。』文王曰：『可復下此不？』對曰：『但見其上，未見其下。』

⑨和嶠爲武帝所親重，語嶠曰：『東宫頃似更成進，卿試往看。』還，問何如。答云：『皇太子聖質如初。』

⑩諸葛靚後入晋，除大司馬，召不起。以與晋室有讎，常背洛水而坐。與武帝有舊，帝欲見之而無由，乃請諸葛妃呼靚。既來，帝就太妃間相見。禮畢，酒酣，帝曰：『卿故復憶竹馬之好不？』靚曰：『臣不能吞炭漆身，今日復睹聖顔。』因涕泗百行。帝于是慚悔而出。

⑪武帝語和嶠曰：『我欲先痛罵王武子，然後爵之。』嶠曰：『武子俊爽，恐不可屈。』帝遂召武子，苦責之，因曰：『知愧不？』武子曰：『「尺布斗粟」之謡，常爲陛下耻之！它人能令疏親，臣不能使親疏，以此愧陛下。』

⑫杜預之荆州，頓七里橋，朝士悉祖。預少賤，好豪俠，不爲物所許。楊濟既名氏，雄俊不堪，不坐而去。須臾，和長輿來，問：『楊右衛何在？』客曰：『向來，不坐而去。』長輿曰：『必大夏門下盤馬。』往大夏門，果大閲騎。長輿抱内車，共載歸，坐如初。

⑬杜預拜鎮南將軍，朝士悉至，皆在連榻坐。時亦有裴叔則。羊穉舒後至，曰：『杜元凱乃復連榻坐客！』不坐便去。杜請裴追之，羊去數里住馬，既而俱還杜許。

⑭晋武帝時，荀勖爲中書監，和嶠爲令。故事，監、令由來共車。嶠性雅正，常疾勖諂諛。後公車來，嶠便登，正向前坐，不復容勖。勖方更覓車，然後得去。監、令各給車自此始。

⑮山公大兒著短帢，車中倚。武帝欲見之，山公不敢辭，問兒，兒不肯行。時論乃云勝山公。

⑯向雄爲河内主簿，有公事不及雄，而太守劉淮横怒，遂與杖遣之。雄後爲黄門郎，劉爲侍中，初不交言。武帝聞之，敕雄復君臣之好，雄不得已，詣劉，再拜曰：『向受詔而來，而君臣之義絶，何如？』于是即去。武帝聞尚不和，乃怒問雄曰：『我令卿復君臣之好，何以猶絶？』雄曰：『古之君子，進人以禮，退人以禮；今之君子，進人若將加諸膝，退人若將墜諸淵。臣于劉河内，不爲戎首，亦已幸甚，安復爲君臣之好？』武帝從之。

⑰齊王冏爲大司馬輔政，嵇紹爲侍中，詣冏咨事。冏設宰會，召葛旟、董艾等共論時宜。旟等白冏：『嵇侍中善于絲竹，公可令操之。』遂送樂器。紹推却不受，冏曰：『今日共爲歡，卿何却邪？』紹曰：『公協輔皇室，令作事可法。紹雖官卑，職備常伯。操絲比竹，蓋樂官之事，不可以先王法服，爲伶人之業。今逼高命，不敢苟辭，當釋冠冕，襲私服，此紹之心也。』旟等不自得而退。

⑱盧志于衆坐問陸士衡：『陸遜、陸抗，是君何物？』答曰：『如卿于盧毓、盧珽。』士龍失色。既出户，謂兄曰：『何至如此，彼容不相知也？』士衡正色曰：『我父祖名播海内，寧有不知？鬼子敢爾！』議者疑二陸優劣，謝公以此定之。

⑲羊忱性甚貞烈。趙王倫爲相國，忱爲太傅長史，乃版以參相國軍事。使者卒至，忱深懼豫禍，不暇被馬，于是帖騎而避。使者追之，忱善射，矢左右發，使者不敢進，遂得免。

⑳王太尉不與庾子嵩交，庾卿之不置。王曰：『君不得爲爾。』庾曰：『卿自君我，我自卿卿。我自用我法，卿自用卿法。』

㉑阮宣子伐社樹，有人止之。宣子曰：『社而爲樹，伐樹則社亡；樹而爲

社，伐樹則社移矣。』

㉒阮宣子論鬼神有無者，或以人死有鬼，宣子獨以爲無，曰：『今見鬼者，云箸生時衣服，若人死有鬼，衣服復有鬼邪？』

㉓元皇帝既登阼，以鄭后之寵，欲舍明帝而立簡文。時議者咸謂：『舍長立少，既于理非倫，且明帝以聰亮英斷，益宜爲儲副。』周、王諸公并苦爭懇切，唯刁玄亮獨欲奉少主以阿帝旨。元帝便欲施行，慮諸公不奉詔。于是先喚周侯、丞相入，然後欲出詔付刁。周、王既入，始至階頭，帝逆遣傳詔，遏使就東廂。周侯未悟，即却略下階。丞相披撥傳詔，逕至御床前曰：『不審陛下何以見臣？』帝默然無言，乃探懷中黄紙詔裂擲之。由此皇儲始定。周侯方慨然愧嘆曰：『我常自言勝茂弘，今始知不如也！』

㉔王丞相初在江左，欲結援吴人，請婚陸太尉。對曰：『培塿無松柏，薰蕕不同器。玩雖不才，義不爲亂倫之始。』

㉕諸葛恢大女適太尉庾亮兒，次女適徐州刺史羊忱兒。亮子被蘇峻害，改適江彪。恢兒娶鄧攸女。于時謝尚書求其小女婚，恢乃云：『羊、鄧是世婚，江家我顧伊，庾家伊顧我，不能復與謝裒兒婚。』及恢亡，遂婚。于是王右軍往謝家看新婦，猶有恢之遺法：威儀端詳，容服光整。王嘆曰：『我在遺女裁得爾耳！』

㉖周叔治作晋陵太守，周侯、仲智往别。叔治以將别，涕泗不止。仲智恚之曰：『斯人乃婦女，與人别，唯啼泣！』便舍去。周侯獨留，與飲酒言話，臨别流涕，撫其背曰：『奴好自愛。』

㉗周伯仁爲吏部尚書，在省内夜疾危急，時刁玄亮爲尚書令，營救備親好之至。良久小損。明旦，報仲智，仲智狼狽來。始入户，刁下床對之大泣，説伯仁昨危急之狀。仲智手批之，刁爲辟易于户側。既前，都不問病，直云：『君在中朝，與和長輿齊名，那與佞人刁協有情？』逕便出。

㉘王含作廬江郡，貪濁狼籍。王敦護其兄，故于衆坐稱：『家兄在郡定佳，廬江人士咸稱之！』時何充爲敦主簿，在坐，正色曰：『充即廬江人，所聞异于此！』敦默然。旁人爲之反側，充晏然，神意自若。

㉙顧孟著嘗以酒勸周伯仁，伯仁不受。顧因移勸柱，而語柱曰：『詎可便作棟梁自遇。』周得之欣然，遂爲衿契。

㉚明帝在西堂，會諸公飲酒，未大醉，帝問：『今名臣共集，何如堯、舜？』時周伯仁爲僕射，因厲聲曰：『今雖同人主，復那得等于聖治！』帝大怒，還内，作手詔滿一黄紙，遂付廷尉令收，因欲殺之。後數日，詔出周，群臣往省之。周曰：『近知當不死，罪不足至此。』

㉛王大將軍當下，時咸謂無緣爾。伯仁曰：『今主非堯、舜，何能無過？且人臣安得稱兵以向朝廷？處仲狼抗剛愎，王平子何在？』

㉜王敦既下，住船石頭，欲有廢明帝意。賓客盈坐，敦知帝聰明，欲以不孝廢之。每言帝不孝之狀，而皆云：『温太真所説。温嘗爲東宫率，後爲吾司馬，甚悉之。』須臾，温來，敦便奮其威容，問温曰：『皇太子作人何似？』温曰：『小人無以測君子。』敦聲色并厲，欲以威力使從己，乃重問温：『太子何以稱佳？』温曰：『鈎深致遠，蓋非淺識所測。然以禮侍親，可稱爲孝。』

㉝王大將軍既反，至石頭，周伯仁往見之。謂周曰：『卿何以相負？』對曰：『公戎車犯正，下官忝率六軍，而王師不振，以此負公。』

㉞蘇峻既至石頭，百僚奔散，唯侍中鍾雅獨在帝側。或謂鍾曰：『見可而進，知難而退，古之道也。君性亮直，必不容于寇讎，何不用隨時之宜，而坐待其弊邪？』鍾曰：『國亂不能匡，君危不能濟，而各遜遁以求免，吾懼董狐將執簡而進矣！』

㉟庾公臨去，顧語鍾後事，深以相委。鍾曰：『棟折榱崩，誰之責邪？』庾曰：『今日之事，不容復言，卿當期克復之效耳！』鍾曰：『想足下不愧荀林

父耳。」

㊱蘇峻時，孔羣在横塘爲匡術所逼。王丞相保存術，因衆坐戲語，令術勸酒，以釋横塘之憾。羣答曰：『德非孔子，厄同匡人。雖陽和布氣，鷹化爲鳩，至于識者，猶憎其眼。』

㊲蘇子高事平，王、庾諸公欲用孔廷尉爲丹陽。亂離之後，百姓彫弊。孔慨然曰：『昔肅祖臨崩，諸君親升御床，并蒙眷識，共奉遺詔。孔坦疏賤，不在顧命之列。既有艱難，則以微臣爲先，今猶俎上腐肉，任人膾截耳！』于是拂衣而去，諸公亦止。

㊳孔車騎與中丞共行，在御道逢匡術，賓從甚盛。因往與車騎共語。中丞初不視，直云：『鷹化爲鳩，衆鳥猶惡其眼。』術大怒，便欲刃之。車騎下車，抱術曰：『族弟發狂，卿爲我宥之！』始得全首領。

㊴梅頤嘗有惠于陶公。後爲豫章太守，有事，王丞相遣收之。侃曰：『天子富于春秋，萬機自諸侯出，王公既得録，陶公何爲不可放？』乃遣人于江口奪之。頤見陶公，拜，陶公止之。頤曰：『梅仲真膝，明日豈可復屈邪？』

㊵王丞相作女伎，施設床席。蔡公先在坐，不説而去，王亦不留。

㊶何次道、庾季堅二人并爲元輔。成帝初崩，于時嗣君未定，何欲立嗣子，庾及朝議以外寇方强，嗣子沖幼，乃立康帝。康帝登阼，會群臣，謂何曰：『朕今所以承大業，爲誰之議？』何答曰：『陛下龍飛，此是庾冰之功，非臣之力。于時用微臣之議，今不睹盛明之世。』帝有慚色

㊷江僕射年少，王丞相呼與共棋。王手嘗不如兩道許，而欲敵道戲，試以觀之。江不即下。王曰：『君何以不行？』江曰：『恐不得爾。』傍有客曰：『此年少戲乃不惡。』王徐舉首曰：『此年少，非唯圍棋見勝。』

㊸孔君平疾篤，庾司空爲會稽，省之，相問訊甚至，爲之流涕。庾既下床，孔慨然曰：『大丈夫將終，不問安國寧家之術，乃作兒女子相問！』庾聞，回

謝之，請其話言。

㊹桓大司馬詣劉尹，臥不起。桓彎彈彈劉枕，丸迸碎床褥間。劉作色而起曰：『使君如馨地，寧可鬥戰求勝？』桓甚有恨容。

㊺後來年少，多有道深公者。深公謂曰：『黃吻年少，勿爲評論宿士。昔嘗與元明二帝、王庾二公周旋。』

㊻王中郎年少時，江虨爲僕射領選，欲擬之爲尚書郎。有語王者。王曰：『自過江來，尚書郎正用第二人，何得擬我？』江聞而止。

㊼王述轉尚書令，事行便拜。文度曰：『故應讓杜許。』藍田云：『汝謂我堪此不？』文度曰：『何爲不堪！但克讓自是美事，恐不可闕。』藍田慨然曰：『既云堪，何爲復讓？人言汝勝我，定不如我。』

㊽孫興公作《庾公誄》，文多托寄之辭。既成，示庾道恩。庾見，慨然送還之，曰：『先君與君，自不至于此。』

㊾王長史求東陽，撫軍不用。後疾篤，臨終，撫軍哀嘆曰：『吾將負仲祖于此，命用之。』長史曰：『人言會稽王痴，真痴。』

㊿劉簡作桓宣武別駕，後爲東曹參軍，頗以剛直見疏。嘗聽記，簡都無言。宣武問：『劉東曹何以不下意？』答曰：『會不能用。』宣武亦無怪色。

51劉真長、王仲祖共行，日旰未食。有相識小人貽其餐，肴案甚盛，真長辭焉。仲祖曰：『聊以充虛，何苦辭？』真長曰：『小人都不可與作緣。』

52王脩齡嘗在東山甚貧乏。陶胡奴爲烏程令，送一船米遺之，却不肯取。直答語：『王脩齡若飢，自當就謝仁祖索食，不須陶胡奴米。』

53阮光禄赴山陵，至都，不往殷、劉許，過事便還。諸人相與追之，阮亦知時流必當逐己，乃遄疾而去，至方山不相及。劉尹時爲會稽，乃嘆曰：『我入當泊安石渚下耳，不敢復近思曠傍，伊便能捉杖打人，不易。』

54王、劉與桓公共至覆舟山看。酒酣後，劉牽脚加桓公頸。桓公甚不堪，舉手撥去。既還，王長史語劉曰：『伊詎可以形色加人不？』

55 桓公問桓子野：『謝安石料萬石必敗，何以不諫？』子野答曰：『故當出于難犯耳。』桓作色曰：『萬石撓弱凡才，有何嚴顏難犯？』

56 羅君章曾在人家，主人令與坐上客共語，答曰：『相識已多，不煩復爾。』

57 韓康伯病，拄杖前庭消搖。見諸謝皆富貴，轟隱交路，嘆曰：『此復何异王莽時？』

58 王文度爲桓公長史時，桓爲兒求王女，王許咨藍田。既還，藍田愛念文度，雖長大，猶抱著膝上。文度因言桓求己女婚。藍田大怒，排文度下膝曰：『惡見文度已復痴，畏桓温面？兵，那可嫁女與之！』文度還報云：『下官家中先得婚處。』桓公曰：『吾知矣，此尊府君不肯耳。』後桓女遂嫁文度兒。

59 王子敬數歲時，嘗看諸門生樗蒲，見有勝負，因曰：『南風不競。』門生輩輕其小兒，乃曰：『此郎亦管中窺豹，時見一斑。』子敬瞋目曰：『遠慚荀奉倩，近愧劉真長！』遂拂衣而去。

60 謝公聞羊綏佳，致意令來，終不肯詣。後綏爲太學博士，因事見謝公，公即取以爲主簿。

61 王右軍與謝公詣阮公，至門，語謝：『故當共推主人。』謝曰：『推人正自難。』

62 太極殿始成，王子敬時爲謝公長史，謝送版，使王題之。王有不平色，語信云：『可擲箸門外。』謝後見王曰：『題之上殿何若？昔魏朝韋誕諸人，亦自爲也。』王曰：『魏阼所以不長。』謝以爲名言。

63 王恭欲請江盧奴爲長史，晨往詣江，江猶在帳中。王坐，不敢即言。良久乃得及，江不應。直喚人取酒，自飲一碗，又不與王。王且笑且言：『那得獨飲？』江云：『卿亦復須邪？』更使酌與王，王飲酒畢，因得自解去。未出戶，江嘆曰：『人自量，固爲難！』

(64)孝武問王爽：『卿何如卿兄？』王答曰：『風流秀出，臣不如恭，忠孝亦何可以假人！』

(65)王爽與司馬太傅飲酒。太傅醉，呼王爲『小子』。王曰：『亡祖長史，與簡文皇帝爲布衣之交。亡姑、亡姊，伉儷二宮。何小子之有？』

(66)張玄與王建武先不相識，後遇于范豫章許，范令二人共語。張因正坐斂衽，王孰視良久，不對。張大失望，便去，范苦譬留之，遂不肯住。范是王之舅，乃讓王曰：『張玄，吴士之秀，亦見遇于時，而使至于此，深不可解。』王笑曰：『張祖希若欲相識，自應見詣。』范馳報張，張便束帶造之。遂舉觴對語，賓主無愧色。

雅量第六

①豫章太守顧邵，是雍之子。邵在郡卒，雍盛集僚屬，自圍棋。外啓信至，而無兒書，雖神氣不變，而心了其故。以爪掐掌，血流沾褥。賓客既散，方嘆曰：『已無延陵之高，豈可有喪明之責？』于是豁情散哀，顔色自若。

②嵇中散臨刑東市，神氣不變。索琴彈之，奏廣陵散。曲終，曰：『袁孝尼嘗請學此散，吾靳固不與，廣陵散于今絶矣！』太學生三千人上書，請以爲師，不許。文王亦尋悔焉。

③夏侯太初嘗倚柱作書。時大雨，霹靂破所倚柱，衣服焦然，神色無變，書亦如故。賓客左右，皆跌蕩不得住。

④王戎七歲，嘗與諸小兒游。看道邊李樹多子折枝。諸兒競走取之，唯戎不動。人問之，答曰：『樹在道邊而多子，此必苦李。』取之，信然。

⑤魏明帝于宣武場上斷虎爪牙，縱百姓觀之。王戎七歲，亦往看。虎承間攀欄而吼，其聲震地，觀者無不辟易顛仆。戎湛然不動，了無恐色。

⑥王戎爲侍中，南郡太守劉肇遺筒中箋布五端，戎雖不受，厚報其書。

⑦裴叔則被收，神氣無變，舉止自若。求紙筆作書。書成，救者多，乃得免。後位儀同三司。

⑧王夷甫嘗屬族人事，經時未行，遇于一處飲燕，因語之曰：『近屬尊事，那得不行？』族人大怒，便舉樏擲其面。夷甫都無言，盥洗畢，牽王丞相臂，與共載去。在車中照鏡語丞相曰：『汝看我眼光，乃出牛背上。』

⑨裴遐在周馥所，馥設主人。遐與人圍棋，馥司馬行酒。遐正戲，不時爲飲。司馬恚，因曳遐墜地。遐還坐，舉止如常，顔色不變，復戲如故。王夷甫問遐：『當時何得顔色不异？』答曰：『直是暗當故耳。』

⑩劉慶孫在太傅府，于時人士，多爲所構，唯庾子嵩縱心事外，無迹可間。後以其性儉家富，説太傅令换千萬，冀其有吝，于此可乘。太傅于衆坐中問庾，庾時頽然已醉，幘墜几上，以頭就穿取，徐答云：『下官家故可有兩娑千萬，隨公所取。』于是乃服。後有人向庾道此，庾曰：『可謂以小人之慮，度君子之心。』

⑪王夷甫與裴景聲志好不同，景聲惡欲取之，卒不能回。乃故詣王，肆言極駡，要王答己，欲以分謗。王不爲動色，徐曰：『白眼兒遂作。』

⑫王夷甫長裴成公四歲，不與相知。時共集一處，皆當時名士，謂王曰：『裴令令望何足計！』王便卿裴。裴曰：『自可全君雅志。』

⑬有往來者云：『庾公有東下意。』或謂王公：『可潜稍嚴，以備不虞。』王公曰：『我與元規雖俱王臣，本懷布衣之好。若其欲來，吾角巾徑還烏衣，何所稍嚴。』

⑭王丞相主簿欲檢校帳下。公語主簿：『欲與主簿周旋，無爲知人几案閑事。』

⑮祖士少好財，阮遥集好屐，并恒自經營。同是一累，而未判其得失。人有詣祖，見料視財物。客至，屏當未盡，餘兩小簏箸背後，傾身障之，意未能平。

或有詣阮，見自吹火蠟屐，因嘆曰：『未知一生當箸幾量屐？』神色閑暢。于是勝負始分。

⑯許侍中、顧司空俱作丞相從事，爾時已被遇，游宴集聚，略無不同。嘗夜至丞相許戲，二人歡極，丞相便命使入已帳眠。顧至曉回轉，不得快孰。許上床便咍臺大鼾。丞相顧諸客曰：『此中亦難得眠處。』

⑰庾太尉風儀偉長，不輕舉止，時人皆以爲假。亮有大兒數歲，雅重之質，便自如此，人知是天性。温太真嘗隱幔怛之，此兒神色恬然，乃徐跪曰：『君侯何以爲此？』論者謂不減亮。蘇峻時遇害。或云：『見阿恭，知元規非假。』

⑱褚公于章安令遷太尉記室參軍，名字已顯而位微，人未多識。公東出，乘估客船，送故吏數人投錢唐亭住。爾時吴興沈充爲縣令，當送客過浙江，客出，亭吏驅公移牛屋下。潮水至，沈令起彷徨，問：『牛屋下是何物？』吏云：『昨有一傖父來寄亭中，有尊貴客，權移之。』令有酒色，因遥問：『傖父欲食餅不？姓何等？可共語。』褚因舉手答曰：『河南褚季野。』遠近久承公名，令于是大遽，不敢移公，便于牛屋下修刺詣公，更宰殺爲饌，具于公前，鞭撻亭吏，欲以謝慚。公與之酌宴，言色無异，狀如不覺。令送公至界。

⑲郗太傅在京口，遣門生與王丞相書，求女婿。丞相語郗信：『君往東厢，任意選之。』門生歸，白郗曰：『王家諸郎，亦皆可嘉，聞來覓婿，咸自矜持，唯有一郎，在東床上坦腹卧，如不聞。』郗公云：『正此好！』訪之，乃是逸少，因嫁女與焉。

⑳過江初，拜官，輿飾供饌。羊曼拜丹陽尹，客來蚤者，并得佳設。日晏漸罄，不復及精，隨客早晚，不問貴賤。羊固拜臨海，竟日皆美供。雖晚至，亦獲盛饌。時論以固之豐華，不如曼之真率。

㉑周仲智飲酒醉，瞋目還面謂伯仁曰：『君才不如弟，而横得重名！』須臾，舉蠟燭火擲伯仁。伯仁笑曰：『阿奴火攻，固出下策耳！』

㉒顧和始爲揚州從事。月旦當朝，未入頃，停車州門外。周侯詣丞相，歷和車邊。和覓虱，夷然不動。周既過，反還，指顧心曰：『此中何所有？』顧搏虱如故，徐應曰：『此中最是難測地。』周侯既入，語丞相曰：『卿州吏中有一令僕才。』

㉓庾太尉與蘇峻戰，敗，率左右十餘人，乘小船西奔。亂兵相剝掠，射誤中柂工，應弦而倒。舉船上咸失色分散，亮不動容，徐曰：『此手那可使箸賊！』衆乃安。

㉔庾小征西嘗出未還。婦母阮是劉萬安妻，與女上安陵城樓上。俄頃，翼歸，策良馬，盛輿衛。阮語女：『聞庾郎能騎，我何由得見？』婦告翼，翼便爲于道開鹵簿盤馬，始兩轉，墜馬墮地，意色自若。

㉕宣武與簡文、太宰共載，密令人在輿前後鳴鼓大叫。鹵簿中驚擾，太宰惶怖求下輿，顧看簡文，穆然清恬。宣武語人曰：『朝廷間故復有此賢。』

㉖王劭、王薈共詣宣武，正值收庾希家。薈不自安，逡巡欲去；劭堅坐不動，待收信還，得不定乃出。論者以劭爲優。

㉗桓宣武與郗超議芟夷朝臣，條牒既定，其夜同宿。明晨起，呼謝安、王坦之入，擲疏示之。郗猶在帳内。謝都無言，王直擲還，云：『多！』宣武取筆欲除，郗不覺竊從帳中與宣武言。謝含笑曰：『郗生可謂入幕賓也。』

㉘謝太傅盤桓東山時，與孫興公諸人泛海戲。風起浪涌，孫、王諸人色并遽，便唱使還。太傅神情方王，吟嘯不言。舟人以公貌閑意說，猶去不止。既風轉急，浪猛，諸人皆喧動不坐。公徐云：『如此，將無歸！』衆人即承響而回。于是審其量，足以鎮安朝野。

㉙桓公伏甲設饌，廣延朝士，因此欲誅謝安、王坦之。王甚遽，問謝曰：『當作何計？』謝神意不變，謂文度曰：『晋阼存亡，在此一行。』相與俱前。王之恐狀，轉見于色。謝之寬容，愈表于貌。望階趨席，方作洛生咏，諷『浩浩

洪流』。桓憚其曠遠，乃趣解兵。王、謝舊齊名，于此始判優劣。

㉚謝太傅與王文度共詣郗超，日旰未得前。王便欲去。謝曰：『不能爲性命忍俄頃？』

㉛支道林還東，時賢并送于征虜亭。蔡子叔前至，坐近林公。謝萬石後來，坐小遠。蔡暫起，謝移就其處。蔡還，見謝在焉，因合褥舉謝擲地，自復坐。謝冠幘傾脱，乃徐起，振衣就席，神意甚平，不覺瞋沮。坐定，謂蔡曰：『卿奇人，殆壞我面。』蔡答曰：『我本不爲卿面作計。』其後，二人俱不介意。

㉜郗嘉賓欽崇釋道安德問，餉米千斛，修書累紙，意寄殷勤。道安答直云：『損米。』愈覺有待之爲煩。

㉝謝安南免吏部尚書還東，謝太傅赴桓公司馬出西，相遇破岡。既當遠別，遂停三日共語。太傅欲慰其失官，安南輒引以它端。雖信宿中塗，竟不言及此事。太傅深恨在心未盡，謂同舟曰：『謝奉故是奇士。』

㉞戴公從東出，謝太傅往看之。謝本輕戴，見但與論琴書。戴既無吝色，而談琴書愈妙。謝悠然知其量。

㉟謝公與人圍棋，俄而謝玄淮上信至。看書竟，默然無言，徐向局。客問淮上利害，答曰：『小兒輩大破賊。』意色舉止，不异于常。

㊱王子猷、子敬曾俱坐一室，上忽發火，子猷遽走避，不惶取屐；子敬神色恬然，徐喚左右，扶憑而出，不异平常。世以此定二王神宇。

㊲苻堅游魂近境，謝太傅謂子敬曰：『可將當軸，了其此處。』

㊳王僧彌、謝車騎共王小奴許集。僧彌舉酒勸謝云：『奉使君一觴。』謝曰：『可爾。』僧彌勃然起，作色曰：『汝故是吴興溪中釣碣耳！何敢譸張！』謝徐撫掌而笑曰：『衛軍，僧彌殊不肅省，乃侵陵上國也。』

㊴王東亭爲桓宣武主簿，既承藉，有美譽，公甚欲其人地爲一府之望。初，見謝失儀，而神色自若。坐上賓客即相貶笑。公曰：『不然，觀其情貌，必自

不凡。吾當試之。』後因月朝閣下伏，公于内走馬直出突之，左右皆宕仆，而王不動。名價于是大重，咸云：『是公輔器也。』

㊵太元末，長星見，孝武心甚惡之。夜，華林園中飲酒，舉杯屬星云：『長星！勸爾一杯酒，自古何時有萬歲天子？』

㊶殷荊州有所識，作賦，是束晳慢戲之流。殷甚以爲有才，語王恭：『適見新文，甚可觀。』便于手巾函中出之。王讀，殷笑之不自勝。王看竟，既不笑，亦不言好惡，但以如意帖之而已。殷悵然自失。

㊷羊綏第二子孚，少有俊才，與謝益壽相好。嘗蚤往謝許，未食。俄而王齊、王睹來。既先不相識，王向席有不說色，欲使羊去。羊了不眄，唯脚委几上，咏矚自若。謝與王叙寒温數語畢，還與羊談賞，王方悟其奇，乃合共語。須臾食下，二王都不得餐，唯屬羊不暇。羊不大應對之，而盛進食，食畢便退。遂苦相留，羊義不住，直云：『向者不得從命，中國尚虛。』二王是孝伯兩弟。

識鑒第七

①曹公少時見喬玄，玄謂曰：『天下方亂，群雄虎争，撥而理之，非君乎？然君實亂世之英雄，治世之奸賊。恨吾老矣，不見君富貴，當以子孫相累。』

②曹公問裴潛曰：『卿昔與劉備共在荊州，卿以備才如何？』潛曰：『使居中國，能亂人，不能爲治；若乘邊守險，足爲一方之主。』

③何晏、鄧颺、夏侯玄并求傅嘏交，而嘏終不許。諸人乃因荀粲説合之，謂嘏曰：『夏侯太初一時之杰士，虛心于子，而卿意懷不可交，合則好成，不合則致隙。二賢若穆，則國之休。此藺相如所以下廉頗也。』傅曰：『夏侯太初志大心勞，能合虛譽，誠所謂利口覆國之人。何晏、鄧颺有爲而躁，博而寡要，外好利而内無關籥，貴同惡异，多言而妒前。多言多釁，妒前無親。以吾觀之，此三賢者，皆敗德之人耳！遠之猶恐罹禍，况可親之邪？』後皆如其

言。

④晉武帝講武于宣武場，帝欲偃武修文，親自臨幸，悉召群臣。山公謂不宜爾，因與諸尚書言孫、吳用兵本意。遂究論，舉坐無不咨嗟。皆曰：『山少傅乃天下名言。』後諸王驕汰，輕遘禍難。于是寇盜處處蟻合，郡國多以無備，不能制服，遂漸熾盛，皆如公言。時人以謂『山濤不學孫、吳，而暗與之理會』。王夷甫亦嘆云：『公暗與道合。』

⑤王夷甫父乂爲平北將軍，有公事，使行人論不得。時夷甫在京師，命駕見僕射羊祜、尚書山濤。夷甫時總角，姿才秀异，叙致既快，事加有理，濤甚奇之。既退，看之不輟，乃嘆曰：『生兒不當如王夷甫邪？』羊祜曰：『亂天下者，必此子也！』

⑥潘陽仲見王敦小時，謂曰：『君蜂目已露，但豺聲未振耳。必能食人，亦當爲人所食。』

⑦石勒不知書，使人讀《漢書》。聞酈食其勸立六國後，刻印將授之，大驚曰：『此法當失，云何得遂有天下？』至留侯諫，乃曰：『賴有此耳！』

⑧衛玠年五歲，神衿可愛。祖太保曰：『此兒有异，顧吾老，不見其大耳！』

⑨劉越石云：『華彦夏識能不足，强果有餘。』

⑩張季鷹辟齊王東曹掾，在洛見秋風起，因思吳中菰菜羹、鱸魚膾，曰：『人生貴得適意爾，何能羈宦數千里以要名爵！』遂命駕便歸。俄而齊王敗，時人皆謂爲見機。

⑪諸葛道明初過江左，自名道明，名亞王、庾之下。先爲臨沂令，丞相謂曰：『明府當爲黑頭公。』

⑫王平子素不知眉子，曰：『志大其量，終當死塢壁間。』

⑬王大將軍始下，楊朗苦諫不從，遂爲王致力，乘『中鳴雲露車』逕前曰：

『聽下官鼓音，一進而捷。』王先把其手曰：『事克，當相用爲荆州。』既而忘之，以爲南郡。王敗後，明帝收朗，欲殺之。帝尋崩，得免。後兼三公，署數十人爲官屬。此諸人當時并無名，後皆被知遇，于時稱其知人。

⑭周伯仁母冬至舉酒賜三子曰：『吾本謂度江托足無所，爾家有相，爾等并羅列吾前，復何憂？』周嵩起，長跪而泣曰：『不如阿母言。伯仁爲人志大而才短，名重而識暗，好乘人之弊，此非自全之道。嵩性狼抗，亦不容于世。唯阿奴碌碌，當在阿母目下耳。』

⑮王大將軍既亡，王應欲投世儒，世儒爲江州。王含欲投王舒，舒爲荆州。含語應曰：『大將軍平素與江州云何，而汝欲歸之？』應曰：『此乃所以宜往也。江州當人强盛時，能抗同异，此非常人所行。及睹衰危，必興愍惻。荆州守文，豈能作意表行事？』含不從，遂共投舒。舒果沈含父子于江。彬聞應當來，密具船以待之。竟不得來，深以爲恨。

⑯武昌孟嘉作庾太尉州從事，已知名。褚太傅有知人鑒，罷豫章還，過武昌，問庾曰：『聞孟從事佳，今在此不？』庾云：『卿自求之。』褚眄睞良久，指嘉曰：『此君小异，得無是乎？』庾大笑曰：『然！』于時既嘆褚之默識，又欣嘉之見賞。

⑰戴安道年十餘歲，在瓦官寺畫。王長史見之曰：『此童非徒能畫，亦終當致名。恨吾老，不見其盛時耳！』

⑱王仲祖、謝仁祖、劉真長俱至丹陽墓所省殷揚州，殊有确然之志。既反，王、謝相謂曰：『淵源不起，當如蒼生何？』深爲憂嘆。劉曰：『卿諸人真憂淵源不起邪？』

⑲小庾臨終，自表以子園客爲代。朝廷慮其不從命，未知所遣，乃共議用桓温。劉尹曰：『使伊去，必能克定西楚，然恐不可復制。』

⑳桓公將伐蜀，在事諸賢咸以李勢在蜀既久，承藉累葉，且形據上流，三

峽未易可克。唯劉尹云：『伊必能克蜀。觀其蒲博，不必得，則不爲。』

㉑謝公在東山畜妓，簡文曰：『安石必出。既與人同樂，亦不得不與人同憂。』

㉒郗超與謝玄不善。苻堅將問晉鼎，既已狼噬梁、岐，又虎視淮陰矣。于時朝議遣玄北討，人間頗有異同之論。唯超曰：『是必濟事。吾昔嘗與共在桓宣武府，見使才皆盡，雖履屐之間，亦得其任。以此推之，容必能立勛。』元功既舉，時人咸嘆超之先覺，又重其不以愛憎匿善。

㉓韓康伯與謝玄亦無深好。玄北征後，巷議疑其不振。康伯曰：『此人好名，必能戰。』玄聞之甚忿，常于衆中厲色曰：『丈夫提千兵，入死地，以事君親，故發，不得復云爲名。』

㉔褚期生少時，謝公甚知之，恒云：『褚期生若不佳者，僕不復相士。』

㉕郗超與傅瑗周旋。瑗見其二子并總髮，超觀之良久，謂瑗曰：『小者才名皆勝，然保卿家，終當在兄。』即傅亮兄弟也。

㉖王恭隨父在會稽，王大自都來拜墓。恭暫往墓下看之，二人素善，遂十餘日方還。父問恭：『何故多日？』對曰：『與阿大語，蟬連不得歸。』因語之曰：『恐阿大非爾之友，終乖愛好。』果如其言。

㉗車胤父作南平郡功曹，太守王胡之避司馬無忌之難，置郡于酆陰。是時胤十餘歲，胡之每出，嘗于籬中見而異焉。謂胤父曰：『此兒當致高名。』後游集，恒命之。胤長，又爲桓宣武所知。清通于多士之世，官至選曹尚書。

㉘王忱死，西鎮未定，朝貴人人有望。時殷仲堪在門下，雖居機要，資名輕小，人情未以方岳相許。晉孝武欲拔親近腹心，遂以殷爲荆州。事定，詔未出。王珣問殷曰：『陝西何故未有處分？』殷曰：『已有人。』王歷問公卿，咸云：『非。』王自計才地必應在己，復問：『非我邪？』殷曰：『亦似非。』其夜，詔出用殷。王語所親曰：『豈有黄門郎而受如此任！仲堪此舉，乃是國

之亡徵。』

賞譽第八

①陳仲舉嘗嘆曰：『若周子居者，真治國之器。譬諸寶劍，則世之干將。』

②世目李元禮：『謖謖如勁松下風。』

③謝子微見許子將兄弟曰：『平輿之淵，有二龍焉。』見許子政弱冠之時，嘆曰：『若許子政者，有幹國之器。正色忠謇，則陳仲舉之匹；伐惡退不肖，范孟博之風。』

④公孫度目邴原：『所謂雲中白鶴，非燕雀之網所能羅也。』

⑤鍾士季目王安豐：『阿戎了了解人意。』謂裴公之談，經日不竭。吏部郎闕，文帝問其人于鍾會，會曰：『裴楷清通，王戎簡要，皆其選也。』于是用裴。

⑥王濬沖、裴叔則二人，總角詣鍾士季。須臾去後，客問鍾曰：『向二童何如？』鍾曰：『裴楷清通，王戎簡要。後二十年，此二賢當爲吏部尚書，冀爾時天下無滯才。』

⑦諺曰：『後來領袖有裴秀。』

⑧裴令公目夏侯太初：『肅肅如入廊廟中，不修敬而人自敬。』一曰：『如入宗廟，琅琅但見禮樂器。見鍾士季，如觀武庫，但睹矛戟。見傅蘭碩，江廧靡所不有。見山巨源，如登山臨下，幽然深遠。』

⑨羊公還洛，郭弈爲野王令。羊至界，遣人要之。郭便自往。既見，嘆曰：『羊叔子何必減郭太業！』復往羊許，小悉還，又嘆曰：『羊叔子去人遠矣！』羊既去，郭送之彌日，一舉數百里，遂以出境免官。復嘆曰：『羊叔子何必減顏子！』

⑩王戎目山巨源：『如璞玉渾金，人皆欽其寶，莫知名其器。』

⑪羊長和父繇，與太傅祜同堂相善，仕至車騎掾。蚤卒。長和兄弟五人，幼

孤。祜來哭，見長和哀容舉止，宛若成人，乃嘆曰：『從兄不亡矣！』

⑫山公舉阮咸爲吏部郎，目曰：『清真寡欲，萬物不能移也。』

⑬王戎目阮文業：『清倫有鑒識，漢元以來，未有此人。』

⑭武元夏目裴、王曰：『戎尚約，楷清通。』

⑮庾子嵩目和嶠：『森森如千丈松，雖磊砢有節目，施之大廈，有棟梁之用。』

⑯王戎云：『太尉神姿高徹，如瑶林瓊樹，自然是風塵外物。』

⑰王汝南既除所生服，遂停墓所。兄子濟每來拜墓，略不過叔，叔亦不候。濟脱時過，止寒温而已。後聊試問近事，答對甚有音辭，出濟意外，濟極惋愕。仍與語，轉造清微。濟先略無子侄之敬，既聞其言，不覺懍然，心形俱肅。遂留共語，彌日累夜。濟雖俊爽，自視缺然，乃喟然嘆曰：『家有名士，三十年而不知！』濟去，叔送至門。濟從騎有一馬，絶難乘，少能騎者。濟聊問叔：『好騎乘不？』曰：『亦好爾。』濟又使騎難乘馬，叔姿形既妙，回策如縈，名騎無以過之。濟益嘆其難測，非復一事。既還，渾問濟：『何以暫行累日？』濟曰：『始得一叔。』渾問其故，濟具嘆述如此。渾曰：『何如我？』濟曰：『濟以上人。』武帝每見濟，輒以湛調之曰：『卿家痴叔死未？』濟常無以答。既而得叔，後武帝又問如前，濟曰：『臣叔不痴。』稱其實美。帝曰：『誰比？』濟曰：『山濤以下，魏舒以上。』于是顯名，年二十八始宦。

⑱裴僕射，時人謂爲『言談之林藪』。

⑲張華見褚陶，語陸平原曰：『君兄弟龍躍雲津，顧彦先鳳鳴朝陽。謂東南之寶已盡，不意復見諸生。』陸曰：『公未睹不鳴不躍者耳！』

⑳有問秀才：『吴舊姓何如？』答曰：『吴府君聖王之老成，明時之俊乂。朱永長理物之至德，清選之高望。嚴仲弼九皋之鳴鶴，空谷之白駒。顧彦先八音之琴瑟，五色之龍章。張威伯歲寒之茂松，幽夜之逸光。陸士衡、士龍鴻

鵠之裴回，懸鼓之待槌。凡此諸君：以洪筆爲鉏耒，以紙札爲良田。以玄默爲稼穡，以義理爲豐年。以談論爲英華，以忠恕爲珍寶。著文章爲錦綉，藴五經爲繒帛。坐謙虚爲席薦，張義讓爲帷幕。行仁義爲室宇，修道德爲廣宅。」

㉑人問王夷甫：『山巨源義理何如？是誰輩？』王曰：『此人初不肯以談自居，然不讀《老》、《莊》，時聞其咏，往往與其旨合。』

㉒洛中雅雅有三嘏：劉粹字純嘏，宏字終嘏，漠字沖嘏，是親兄弟。王安豐甥，并是王安豐女婿。宏，真長祖也。洛中錚錚馮惠卿，名蓀，是播子。蓀與邢喬俱司徒李胤外孫，及胤子順并知名。時稱『馮才清，李才明，純粹邢。』

㉓衛伯玉爲尚書令，見樂廣與中朝名士談議，奇之曰：『自昔諸人没已來，常恐微言將絶。今乃復聞斯言于君矣！』命子弟造之曰：『此人，人之水鏡也，見之若披雲霧睹青天。』

㉔王太尉曰：『見裴令公精明朗然，籠蓋人上，非凡識也。若死而可作，當與之同歸。』或云王戎語。

㉕王夷甫自嘆：『我與樂令談，未嘗不覺我言爲煩。』

㉖郭子玄有俊才，能言老莊，庾敳嘗稱之，每曰：『郭子玄何必减庾子嵩！』

㉗王平子目太尉：『阿兄形似道，而神鋒太俊。』太尉答曰：『誠不如卿落落穆穆。』

㉘太傅有三才：劉慶孫長才，潘陽仲大才，裴景聲清才。

㉙林下諸賢，各有俊才子。籍子渾，器量弘曠；康子紹，清遠雅正；濤子簡，疏通高素；咸子瞻，虚夷有遠志，瞻弟孚，爽朗多所遺；秀子純、悌，并令淑有清流；戎子萬子，有大成之風，苗而不秀；唯伶子無聞。凡此諸子，唯瞻爲冠，紹、簡亦見重當世。

㉚庾子躬有廢疾，甚知名。家在城西，號曰『城西公府』。

㉛王夷甫語樂令：「名士無多人，故當容平子知。」

㉜王太尉云：「郭子玄語議如懸河寫水，注而不竭。」

㉝司馬太傅府多名士，一時俊异。庾文康云：「見子嵩在其中，常自神王。」

㉞太傅東海王鎮許昌，以王安期爲記室參軍，雅相知重。敕世子毗曰：「夫學之所益者淺，體之所安者深。閑習禮度，不如式瞻儀形。諷味遺言，不如親承音旨。王參軍人倫之表，汝其師之！」或曰：「王、趙、鄧三參軍，人倫之表，汝其師之！」謂安期、鄧伯道、趙穆也。袁宏作《名士傳》，直云王參軍。或云趙家先猶有此本。

㉟庾太尉少爲王眉子所知。庾過江，嘆王曰：「庇其宇下，使人忘寒暑。」

㊱謝幼輿曰：「友人王眉子清通簡暢，嵇延祖弘雅劭長，董仲道卓犖有致度。」

㊲王公目太尉：「岩岩清峙，壁立千仞。」

㊳庾太尉在洛下，問訊中郎。中郎留之云：「諸人當來。」尋溫元甫、劉王喬、裴叔則俱至，酬酢終日。庾公猶憶劉、裴之才俊，元甫之清中。

㊴蔡司徒在洛，見陸機兄弟住參佐廨中，三間瓦屋，士龍住東頭，士衡住西頭。士龍爲人文弱可愛，士衡長七尺餘，聲作鍾聲，言多忼慨。

㊵王長史是庾子躬外孫，丞相目子躬云：「入理泓然，我已上人。」

㊶庾太尉目庾中郎：「家從談談之許。」

㊷庾公目中郎：「神氣融散，差如得上。」

㊸劉琨稱祖車騎爲朗詣，曰：「少爲王敦所嘆。」

㊹時人目庾中郎：「善于托大，長于自藏。」

㊺王平子邁世有俊才，少所推服。每聞衛玠言，輒嘆息絕倒。

㊻王大將軍與元皇表云：「舒風概簡正，允作雅人，自多于邃。最是臣少

所知拔。中間夷甫、澄見語：「卿知處明、茂弘。茂弘已有令名，真副卿清論；處明親疏無知之者，吾常以卿言爲意，殊未有得，恐已悔之？」臣慨然曰：「君以此試。頃來始乃有稱之者。」言常人正自患知之使過，不知使負實。」

㊼周侯于荆州敗績，還，未得用。王丞相與人書曰：「雅流弘器，何可得遺？」

㊽時人欲題目高坐而未能。桓廷尉以問周侯，周侯曰：「可謂卓朗。」桓公曰：「精神淵箸。」

㊾王大將軍稱其兒云：「其神候似欲可。」

㊿卞令目叔向：「朗朗如百間屋。」

51王敦爲大將軍，鎮豫章，衛玠避亂，從洛投敦，相見欣然，談話彌日。于時謝鯤爲長史，敦謂鯤曰：「不意永嘉之中，復聞正始之音。阿平若在，當復絶倒。」

52王平子與人書，稱其兒「風氣日上，足散人懷」。

53胡毋彦國吐佳言如屑，後進領袖。

54王丞相云：「刁玄亮之察察，戴若思之岩岩，卞望之之峰距。」

55大將軍語右軍：「汝是我佳子弟，當不減阮主簿。」

56世目周侯「嶷如斷山」。

57王丞相招祖約夜語，至曉不眠。明旦有客，公頭鬢未理，亦小倦。客曰：「公昨如是，似失眠。」公曰：「昨與士少語，遂使人忘疲。」

58王大將軍與丞相書，稱楊朗曰：「世彦識器理致，才隱明斷，既爲國器，且是楊侯淮之子。位望殊爲陵遲，卿亦足與之處。」

59何次道往丞相許，丞相以麈尾指坐，呼何共坐曰：「來，來，此是君坐。」

60丞相治楊州廨舍，按行而言曰：「我正爲次道治此爾！」何少爲王公所重，故屢發此嘆。

61 王丞相拜司徒而嘆曰：『劉王喬若過江，我不獨拜公。』

62 王藍田爲人晚成，時人乃謂之痴。王丞相以其東海子，辟爲掾。常集聚，王公每發言，衆人競贊之。述于末坐曰：『主非堯、舜，何得事事皆是？』丞相甚相嘆賞。

63 世目楊朗：『沈審經斷。』蔡司徒云：『若使中朝不亂，楊氏作公方未已。』謝公云：『朗是大才。』

64 劉萬安，即道真從子。庾公所謂『灼然玉舉』。又云：『千人亦見，百人亦見。』

65 庾公爲護軍，屬桓廷尉覓一佳吏，乃經年。桓後遇見徐寧而知之，遂致于庾公曰：『人所應有，其不必有；人所應無，己不必無。真海岱清士。』

66 桓茂倫云：『褚季野皮裏陽秋。』謂其裁中也。

67 何次道嘗送東人，瞻望見賈寧在後輪中，曰：『此人不死，終爲諸侯上客。』

68 杜弘治墓崩，哀容不稱。庾公顧謂諸客曰：『弘治至羸，不可以致哀。』又曰：『弘治哭不可哀。』

69 世稱『庾文康爲豐年玉，穉恭爲荒年穀。』庾家論云是文康稱『恭爲荒年穀，庾長仁爲豐年玉。』

70 世目『杜弘治標鮮，季野穆少』。

71 有人目杜弘治：『標鮮清令，盛德之風，可樂咏也。』

72 庾公云：『逸少國舉。』故庾倪爲碑文云：『拔萃國舉。』

73 庾穉恭與桓溫書，稱：『劉道生日夕在事，大小殊快。義懷通樂，既佳，且足作友，正實良器，推此與君，同濟艱不者也。』

74 王藍田拜楊州，主簿請諱，教云：『亡祖先君，名播海內，遠近所知。內諱不出于外，餘無所諱。』

⑦⑤蕭中郎，孫丞公婦父。劉尹在撫軍坐，時擬爲太常。劉尹云：『蕭祖周不知便可作三公不？自此以還，無所不堪。』

⑦⑥謝太傅未冠，始出西，詣王長史，清言良久。去後，苟子問曰：『向客何如尊？』長史曰：『向客亹亹，爲來逼人。』

⑦⑦王右軍語劉尹：『故當共推安石。』劉尹曰：『若安石東山志立，當與天下共推之。』

⑦⑧謝公稱藍田：『掇皮皆真。』

⑦⑨桓温行經王敦墓邊過，望之云：『可兒！可兒！』

⑧⓪殷中軍道王右軍云：『逸少清貴人，吾于之甚至，一時無所後。』

⑧①王仲祖稱殷淵源：『非以長勝人，處長亦勝人。』

⑧②王司州與殷中軍語，嘆云：『己之府奥，蚤已傾寫而見，殷陳勢浩汗，衆源未可得測。』

⑧③王長史謂林公：『真長可謂金玉滿堂。』林公曰：『金玉滿堂，復何爲簡選？』王曰：『非爲簡選，直致言處自寡耳。』

⑧④王長史道江道羣：『人可應有，乃不必有；人可應無，己必無。』

⑧⑤會稽孔沈、魏顗、虞球、虞存、謝奉，并是四族之俊，于時之杰。孫興公目之曰：『沈爲孔家金，顗爲魏家玉，虞爲長琳宗，謝爲弘道伏。』

⑧⑥王仲祖、劉真長造殷中軍談，談竟，俱載去。劉謂王曰：『淵源真可。』王曰：『卿故墮其雲霧中。』

⑧⑦劉尹每稱王長史云：『性至通，而自然有節。』

⑧⑧王右軍道謝萬石『在林澤中，爲自遒上』，嘆林公『器朗神俊』，道祖士少『風領毛骨，恐没世不復見如此人』，道劉真長『標雲柯而不扶疏』。

⑧⑨簡文目庾赤玉：『省率治除。』謝仁祖云：『庾赤玉胸中無宿物。』

⑨⓪殷中軍道韓太常曰：『康伯少自標置，居然是出群器。及其發言遣辭，往往有情致。』

⑨①簡文道王懷祖：『才既不長，于榮利又不淡；直以真率少許，便足對人多多許。』

⑨②林公謂王右軍云：『長史作數百語，無非德音，如恨不苦。』王曰：『長史自不欲苦物。』

⑨③殷中軍與人書，道謝萬：『文理轉遒，成殊不易。』

⑨④王長史云：『江思悛思懷所通，不翅儒域。』

⑨⑤許玄度送母，始出都，人問劉尹：『玄度定稱所聞不？』劉曰：『才情過于所聞。』

⑨⑥阮光禄云：『王家有三年少：右軍、安期、長豫。』

⑨⑦謝公道豫章：『若遇七賢，必自把臂入林。』

⑨⑧王長史嘆林公：『尋微之功，不減輔嗣。』

⑨⑨殷淵源在墓所幾十年。于時朝野以擬管、葛，起不起，以卜江左興亡。

⑩⓪殷中軍道右軍：『清鑒貴要。』

⑩①謝太傅爲桓公司馬。桓詣謝，值謝梳頭，遽取衣幘。桓公云：『何煩此。』因下共語至暝。既去，謂左右曰：『頗曾見如此人不？』

⑩②謝公作宣武司馬，屬門生數十人于田曹中郎趙悦子。悦子以告宣武，宣武云：『且爲用半。』趙俄而悉用之，曰：『昔安石在東山，縉紳敦逼，恐不豫人事。況今自鄉選，反違之邪？』

⑩③桓宣武表云：『謝尚神懷挺率，少致民譽。』

⑩④世目謝尚爲『令達』。阮遥集云：『清暢似達。』或云：『尚自然令上。』

⑩⑤桓大司馬病。謝公往省病，從東門入。桓公遥望，嘆曰：『吾門中久不見如此人！』

106 簡文目敬豫爲『朗豫』。

107 孫興公爲庾公參軍，共游白石山。衛君長在坐，孫曰：『此子神情都不關山水，而能作文。』庾公曰：『衛風韵雖不及卿諸人，傾倒處亦不近。』孫遂沐浴此言。

108 王右軍目陳玄伯：『壘塊有正骨。』

109 王長史云：『劉尹知我，勝我自知。』

110 王、劉聽林公講，王語劉曰：『向高坐者，故是凶物。』復東聽，王又曰：『自是鉢釪後王、何人也。』

111 許玄度言：『琴賦所謂「非至精者，不能與之析理」，劉尹其人；「非淵静者，不能與之閑止」，簡文其人。』

112 魏隱兄弟，少有學義，總角詣謝奉。奉與語，大說之，曰：『大宗雖衰，魏氏已復有人。』

113 簡文云：『淵源語不超詣簡至，然經綸思尋處，故有局陳。』

114 初，法汰北來，未知名，王領軍供養之。每與周旋行，來往名勝許，輒與俱。不得汰，便停車不行。因此名遂重。

115 王長史與大司馬書，道淵源『識致安處，足副時談』。

116 謝公云：『劉尹語審細。』

117 桓公語嘉賓：『阿源有德有言，向使作令僕，足以儀刑百揆。朝廷用違其才耳。』

118 簡文語嘉賓：『劉尹語末後亦小异，回復其言，亦乃無過。』

119 孫興公、許玄度共在白樓亭，共商略先往名達。林公既非所關，聽訖，云：『二賢故自有才情。』

120 王右軍道東陽：『我家阿林，章清太出。』

121 王長史與劉尹書，道淵源『觸事長易』。

122 謝中郎云：『王修載樂托之性，出自門風。』

123 林公云：『王敬仁是超悟人。』

124 劉尹先推謝鎮西，謝後雅重劉曰：『昔嘗北面。』

125 謝太傅稱王修齡曰：『司州可與林澤游。』

126 諺曰：『楊州獨步王文度，後來出人郄嘉賓。』

127 人問王長史江彪兄弟群從，王答曰：『諸江皆復足自生活。』

128 謝太傅道安北：『見之乃不使人厭，然出户去，不復使人思。』

129 謝公云：『司州造勝遍決。』

130 劉尹云：『見何次道飲酒，使人欲傾家釀。』

131 謝太傅語真長：『阿齡于此事，故欲太厲。』劉曰：『亦名士之高操者。』

132 王子猷説：『世目士少爲朗，我家亦以爲徹朗。』

133 謝公云：『長史語甚不多，可謂有令音。』

134 謝鎮西道敬仁：『文學鏃鏃，無能不新。』

135 劉尹道江道羣『不能言而能不言』。

136 林公云：『見司州警悟交至，使人不得住，亦終日忘疲。』

137 世稱：『苟子秀出，阿興清和。』

138 簡文云：『劉尹茗柯有實理。』

139 謝胡兒作著作郎，嘗作王堪傳。不諳堪是何似人，咨謝公。謝公答曰：『世胄亦被遇。堪，烈之子。阮千里姨兄弟，潘安仁中外。安仁詩所謂「子親伊姑，我父唯舅」。是許允婿。』

140 謝太傅重鄧僕射，常言：『天地無知，使伯道無兒。』

141 謝公與王右軍書曰：『敬和栖托好佳。』

142 吴四姓舊目云：『張文，朱武，陸忠，顧厚。』

143 謝公語王孝伯：『君家藍田，舉體無常人事。』

144 許掾嘗詣簡文，爾夜風恬月朗，乃共作曲室中語。襟懷之詠，偏是許之所長。辭寄清婉，有逾平日。簡文雖契素，此遇尤相咨嗟。不覺造膝，共叉手語，達于將旦。既而曰：『玄度才情，故未易多有許。』

145 殷允出西，郗超與袁虎書云：『子思求良朋，托好足下，勿以開美求之。』世目袁爲『開美』，故子敬詩曰：『袁生開美度。』

146 謝車騎問謝公：『真長性至峭，何足乃重？』答曰：『是不見耳！阿見子敬，尚使人不能已。』

147 謝公領中書監，王東亭有事應同上省。王後至，坐促，王、謝雖不通，太傅猶斂膝容之。王神意閑暢，謝公傾目。還謂劉夫人曰：『向見阿瓜，故自未易有。雖不相關，正是使人不能已已。』

148 王子敬語謝公：『公故蕭灑。』謝曰：『身不蕭灑。君道身最得，身正自調暢。』

149 謝車騎初見王文度，曰：『見文度，雖蕭灑相遇，其復愔愔竟夕。』

150 范豫章謂王荆州：『卿風流俊望，真後來之秀。』王曰：『不有此舅，焉有此甥？』

151 子敬與子猷書，道『兄伯蕭索寡會，遇酒則酣暢忘反，乃自可矜』。

152 張天錫世雄凉州，以力弱詣京師，雖遠方殊類，亦邊人之桀也。聞皇京多才，欽羡彌至。猶在渚住，司馬著作往詣之。言容鄙陋，無可觀聽。天錫心甚悔來，以遐外可以自固。王彌有俊才美譽，當時聞而造焉。既至，天錫見其風神清令，言話如流，陳説古今，無不貫悉。又諳人物氏族，中來皆有證據。天錫訝服。

153 王恭始與王建武甚有情，後遇袁悦之間，遂致疑隙。然每至興會，故有相思。時恭嘗行散至京口射堂，于時清露晨流，新桐初引，恭目之曰：『王大故自濯濯。』

⑭司馬太傅爲二王目曰：『孝伯亭亭直上，阿大羅羅清疏。』

⑮王恭有清辭簡旨，能叙說，而讀書少，頗有重出。有人道孝伯常有新意，不覺爲煩。

⑯殷仲堪喪後，桓玄問仲文：『卿家仲堪，定是何似人？』仲文曰：『雖不能休明一世，足以映徹九泉。』